A VIDA
É FEITA DE
ESCOLHAS

DALCIDES
BISCALQUIN
A VIDA É FEITA DE ESCOLHAS

PREFÁCIO DE GABRIEL CHALITA

Edições Loyola

Preparação: Maurício Balthazar Leal
Projeto gráfico: Flávia Dutra e Mauro Naxara
Capa: Mauro C. Naxara
Foto de Gilmar Maccgnan/Thirson Gaf
Diagramação: Flávia da Silva Dutra
Revisão: Renato da Rocha

Edições Loyola Jesuítas
Rua 1822, 341 – Ipiranga
04216-000 São Paulo, SP
T 55 11 3385 8500/8501 • 2063 4275
editorial@loyola.com.br
vendas@loyola.com.br
www.loyola.com.br

Todos os direitos reservados. Nenhuma parte desta obra pode ser reproduzida ou transmitida por qualquer forma e/ou quaisquer meios (eletrônico ou mecânico, incluindo fotocópia e gravação) ou arquivada em qualquer sistema ou banco de dados sem permissão escrita da Editora.

ISBN 978-85-15-03779-7
11ª edição: 2015
© EDIÇÕES LOYOLA, São Paulo, Brasil, 2010

> Para a minha esposa, **Mariana**, e o meu filho, **Heitor**, que nas noites de inverno me trazem o aconchego da lareira.

O VOO

Goza a euforia do voo do **anjo** perdido em ti.
Não indagues se nessas estradas **tempo** e
vento **desabam** no abismo.
Que sabes tu do **fim**?
Se temes que teu **mistério** seja uma noite,
enche-o de **estrelas**.
Conserva a **ilusão** de que teu **voo** te leva sempre para o mais **alto**.
No deslumbramento da **ascensão**, se pressentires
que **amanhã** estarás mudo, esgota, como um **pássaro**,
as **canções** que tens na garganta.
Canta. Canta para conservar uma ilusão de **festa** e de **vitória**.
Talvez as canções adormeçam as **feras**
que esperam **devorar** o pássaro.
Desde que **nasceste** não és mais que um voo no tempo.
Rumo ao **céu**?
Que importa a **rota**?
Voa e canta enquanto lhe **resistirem** as asas.

Menotti Del Picchia

SUMÁRIO

Prefácio **11**

Apresentação **15**

Sobre os **grandes** ideais **21**

Sobre a **solidão** **25**

Sobre os **amores** destrutivos **29**

Sobre a **beleza** da **bondade** **33**

Sobre as **decisões** difíceis **37**

Sobre o **amor** das **mães** **41**

Sobre o **tempo**, as **mentiras** e a **verdade** **47**

Sobre os pactos com a **mediocridade** **49**

Sobre o dom de **ouvir** **53**

Sobre **fé** e **religiões** **57**

Sobre o **querer** e o **poder** **61**

Sobre chegadas e partidas 65

Sobre emoção e saúde, perdão e paz 69

Sobre ser inteiro 73

Sobre as mulheres lutadoras 77

Sobre a felicidade 81

Sobre as distâncias que nos protegem 85

Sobre a grandeza das pequenas coisas 87

Sobre os amores, os conflitos e as ilusões 91

Sobre perdas e ganhos 95

Sobre a arte de viver e se relacionar 99

Sobre a dor 103

Sobre a inveja 107

Sobre envelhecer 111

Sobre conselhos e decisões 115

Sobre o amor 119

Sobre a educação dos filhos 123

Sobre a morte e a eternidade 127

Bibliografia 133

PREFÁCIO

A vida é feita de escolhas é um livro leve, autêntico, cheio de emoção.

Aristóteles, o fundador do Liceu, afirmava em sua *Ética a Nicômaco* que o ser humano tem desejos, escolhas e aspiração.

Os desejos, as emoções fazem parte de nossa natureza animal. Buscamos o prazer, sentimos ódio e também amor, sentimos medo e também nos revestimos de coragem, sentimos cansaço e disposição para o recomeço.

As escolhas tratadas neste livro são luzes que iluminam os nossos desejos. Como saber se as escolhas estão corretas ou não? Como saber se estamos sendo conduzidos pela razão ou pela teimosia? Aí precisamos da aspiração. Do sonho maior que conduz nossa vida. Os gregos exemplificavam a aspiração como o vencedor olímpico. Ninguém escolhe ser um campeão. Aspira a sê-lo. E para tanto escolhe comer adequadamente, treinar adequadamente, dormir adequadamente. Tudo isso porque há uma aspiração. Um sonho maior.

A aspiração orienta as nossas escolhas, que orientam os nossos desejos. Ser feliz é a maior de todas as aspirações. E para isso é preciso ser bom. Leon Tolstoi dizia que "a alegria de fazer o bem é a única felicidade verdadeira".

Aqui vai uma modesta sugestão: diante da dúvida no momento da escolha, escolha fazer o bem. Mesmo que desejos conflitantes possam estar por perto. Mesmo que a raiva, a vingança, o egoísmo surjam sem convite, escolha fazer o bem.

Dalcides inicia o livro falando de suas escolhas. Fala de dúvidas e certezas. Das lembranças de menino às confissões de um homem decidido a buscar outro horizonte. Fala dos preconceitos tantos que agridem e incomodam. Fala do tempo como um grande aliado.

Conheci Dalcides no seminário salesiano de Lorena. Sua docilidade já prenunciava o homem talhado para aconselhar, orientar, cuidar. Tivemos mestres que nos deixavam inquietos pelos convites que faziam a uma viagem pela riqueza dos pensadores e dos pensamentos. A filosofia nos conduz ao centro de nós mesmos. Deixamos de lado as aparências e buscamos o que realmente importa.

Acompanhei a vida sacerdotal do Dalcides e acompanhei também a sua escolha pela mudança: "E chegou o dia da mudança para mim também. Após um longo processo solitário de discernimento, decidi abandonar a vida eclesiástica e viver um grande amor. Um amor divinamente humano".

Com certeza, foi difícil discernir e foi difícil recomeçar, mas a vida é feita de escolhas. E as escolhas são individuais. Somos filhos de Deus, diferentes uns dos outros. Cada um dotado de inteligência e liberdade.

Em suas belas reflexões, Dalcides traz o cotidiano iluminado pela inteligência e em busca de liberdade.

Somos livres quando permitimos que a razão atue. Somos livres quando superamos as impertinências dos desejos ruins. Somos livres quando respondemos à vida com um "sim" sincero.

A nossa sinceridade melhora as nossas relações. Convivemos o tempo todo e corremos o risco de nos ferir. Projetamos para o outro e esquecemos de sonhar para nós mesmos. Filhos e pais. Pais e filhos. Conflitos. Relacionamentos conjugais. Conflitos. Desejos desnecessários. Mesquinharia.

Eis o convite! Experimentar a simplicidade da liberdade. Soltar o pássaro para que voe, para que cumpra o seu destino. Os desejos menores nos aprisionam e, aprisionados, lançamos correntes nos outros que nos cercam. As doenças afetivas são perigosas porque são capazes de adoecer toda a família, os amigos, as relações.

Cuidemos do essencial. Cuidemos das nossas escolhas. E mais uma vez lembremos Tolstoi: "A alegria de fazer o bem é a única felicidade verdadeira".

Façamos o bem!
Nada mais racional e livre do que fazer o bem!

Boa leitura.

Gabriel Chalita

APRESENTAÇÃO

A vida tem me ensinado que a história pessoal de cada ser humano é sagrada. Para mim, já não faz sentido qualquer julgamento ou crítica sobre as opções, as decisões e as atitudes dos outros. Não que eu não me importe com o que acontece a eles. Estarei ao lado como quem quer ajudar, amparar, aprender e amar. Mas farei silêncio. Sem julgar ou condenar. Simplesmente acolhendo e amando.

Olho para a minha história. Contemplo o sagrado que existe em mim. O meu pensamento busca as minhas raízes. Num instante mágico, volto aos tempos de garoto e me vejo correndo sem camisa pelas ruas da pequena cidade do interior, empinando pipas e brincando de carrinho de rolimã. A infância me parece leve e fascinante.

Leves e fascinantes também são os sonhos da adolescência. E lá estava eu. Adolescentemente ingressando no seminário, do alto dos meus 15 anos. Sim, eu queria ser padre. Estava tomado pela sensação de confiança e entrega total nas mãos de Deus e da religião. Vi os anos se passarem como numa fração de segundos, e a minha adolescência e a minha juventude pareciam não perder o brilho. Tornei-me padre quando acabara de completar 28 anos de idade.

Vivi plenamente o meu sacerdócio, ao longo de dez anos. Cada palavra, cada gesto, cada homilia, cada sacramento. Tudo vivido com amor verdadeiro e intenso.

Nesse tempo, encontrei-me com mães que me pediam orações para os seus filhos. Mulheres tomadas pela aflição dos seus relacionamentos falidos. Jovens lutando para seguir um novo caminho numa fascinante aventura de conversão. Homens buscando uma razão para deixar os seus vícios. E encontrei-me também com muitas pessoas assombradas por seus fantasmas interiores.

Gente de quem eu nem mesmo conhecia o nome. Elas simplesmente diziam ter sido tocadas por uma palavra dita num dos meus programas de rádio e de televisão ou pelos encontros pessoais marcados por um abraço, acariciados por um olhar. Eu ouvi várias vezes: "*Padre, você resgatou em mim a vontade de viver*". E eu me sentia cumprindo a minha missão.

Curiosamente, a vida nem sempre é tão lógica e previsível. Cada um tem a sua história, os seus desejos, as suas fragilidades, as suas grandezas, o seu tempo para as descobertas pessoais. E às vezes, para ser fiel a Deus e a si mesmo, é preciso mudar.

E chegou o dia da mudança para mim também. Após um longo processo solitário de discernimento, decidi abandonar a vida eclesiástica e viver um grande amor. Um amor divinamente humano.

Já não era possível para mim repousar somente nos braços do sagrado, negando o meu lado humano. A vida cobra algumas questões não resolvidas. Eu sempre quis amar e ter uma família para voltar no fim do dia, e acabei por sufocar esses desejos em nome de um idealismo, em nome da fé generosa, entregando-me a um projeto fascinante, mas que exigia algo que minha humanidade não suportava mais.

Decidi recomeçar a vida, rompendo com alguns dos meus sonhos e com muitos sonhos e esperanças que outros depositavam em mim. Eu não imaginava a dificuldade que seria encontrar o meu novo lugar no mundo. Construir uma nova profissão. Uma nova carreira. Descobrir novos modos de relacionamento e a complexidade de cada um deles.

Ainda assim, tudo me parecia encantador. O mais difícil talvez tenha sido lidar com as concepções religiosas preconceituosas e ver que isso afetava diretamente a vida da minha família. Foi um enorme aprendizado. A dor, de fato, é a grande escola.

Mas tudo na vida passa. Essa é uma grande verdade. Aos poucos, fui reconstruindo a minha vida profissional. Comecei a lecionar nas universidades e descobri a sede de muitos jovens por conhecimento, experiência de vida, ideais, novos sonhos e espiritualidade.

Eu sabia que não havia perdido a capacidade de ouvir, acolher, aconselhar e amar. Passei, portanto, a dedicar minhas tardes a ouvir as pessoas no silêncio do meu escritório de Orientação e Aconselhamento. Ali, descobri lindas histórias de vida. E agora podia compreender com mais intensidade as dores da alma humana.

Claro que no processo de mudança senti, como nunca antes havia experimentado, uma insegurança enorme em relação à vida. Senti medo do fracasso. Senti o peso da responsabilidade das minhas decisões. Senti a dor de decepcionar. Senti o abandono da solidão. Senti medo de errar. Toquei a minha humanidade em todas as suas dimensões.

Ao mesmo tempo, continuei a me afirmar no amor, a fazer a experiência do perdão e a tomar as atitudes necessárias para reencontrar a minha paz interior.

Compreendi que na experiência daquilo que é profundamente humano pode-se encontrar toda a ternura que envolve o divino. Dessa forma, a cada dia me sinto mais próximo de Deus.

Hoje eu sei que "é preciso morrer para germinar" e que todo fim pode ser um novo começo. Afinal, a vida é feita de escolhas.

Talvez o que eu tenho aprendido valha também para você.

Assim nasceu este livro.

Dalcides Biscalquin

SOBRE OS GRANDES IDEAIS

O meu pensamento vai ao encontro daquele coração que neste momento se sente abandonado, sozinho, sem esperança, sem vida. A minha palavra segue na direção daquele coração que sofre. Junto-me àqueles que sentem uma dor do passado. A dor de uma perda. A dor de uma rejeição. A dor de um fracasso. A dor de uma injustiça. A dor de uma ausência.
    Coloco todo o meu amor em cada palavra, pois o amor tem o poder de curar. Lembro-me com saudade da infância, quando a gente, brincando, caía e se machucava. Todos tínhamos a mesma reação: voltar correndo na direção da mãe. E quantas vezes a mamãe dizia: "*Vem cá, vou dar um beijinho e vai sarar. Pronto, já passou. Pode voltar a brincar*".
    Até hoje eu me pergunto sobre o poder que havia naquelas palavras. Como num passe de mágica a dor ia embora e a gente voltava a brincar alegremente.

Passei a acreditar que a palavra nascida de um coração que ama pode ser o bálsamo que acalma e alivia a dor. Com a mesma ternura que eu ouvia aquelas palavras na infância, hoje quero lhe dizer: "*Pronto. Já passou. Volte à vida*".

Talvez você já tenha perdido muito tempo com lamentações, tido muitas noites maldormidas atormentado pelas suas preocupações e amedrontado pelos seus fantasmas interiores.

Hoje é o dia de voltar à vida. Despedir-se de tantas culpas do passado. Todo mundo erra, e quem não errou que atire a primeira pedra, como já disse Jesus. Comece a dar o primeiro passo: perdoe a si mesmo. Não importa o tamanho da sua culpa, dos seus erros, há um amor maior que tudo, capaz de invadir o seu coração e devolver-lhe a vida. Dar o perdão a si mesmo é se dar o direito de sorrir novamente. E é preciso paz interior para poder sorrir de verdade.

Deixe de lado o pessimismo. Abandone todo pensamento de derrota. Não consuma mais os seus dias com sentimentos mesquinhos. Busque grandes ideais. Inspire-se no poema de dom Helder Câmara: "*Gosto de pássaros que se enamoram das estrelas e caem de cansaço em busca delas. Nada de ideais ao alcance das mãos*".

Em outras palavras, nada de coisas fáceis. Busque na vida coisas que valham a pena. Gaste as suas palavras com conversas que edifiquem, com diálogos que construam. Não perca nenhum dia da sua vida com mesquinharias.

Busque fazer o bem a cada momento. Faça com muito amor o que tem de ser feito. Doe o melhor de si aos outros. Não pense pequeno. Não viva fazendo críticas. Não viva julgando os que estão mais próximos de você.

Estenda a sua mão. Faça o seu trabalho com amor e dedicação. Não dê ouvidos às más notícias. Espalhe informações positivas. Fale boas palavras. E jamais, em momento algum, se canse de conjugar, diariamente, em todos os modos e pessoas, o verbo amar.

SOBRE A SOLIDÃO

A nossa condição humana é de solidão. Por mais que queiramos nos cercar de pessoas, as decisões mais importantes são sempre tomadas na mais profunda solidão.

Muitas vezes temos dificuldade de conviver com ela. Precisamos ligar a TV, o rádio, navegar pela Internet e preencher todo o nosso tempo e todo o nosso espaço com algum som ou barulho.

Em alguns momentos o mergulho na tagarelice do mundo é necessário, pois temos de cumprir um papel social; em outros, porém, afasta-nos de nós mesmos.

É saudável curtir a própria solidão e ter momentos de tranquilidade e silêncio. Só poderemos ouvir a voz do nosso coração quando mergulharmos no silêncio das nossas emoções.

As pessoas ao nosso lado podem nos incentivar a casar, a mudar de emprego, a correr novos riscos. Sabemos, no entanto, que somente nós teremos de arcar com todas as responsabilidades e consequências dos nossos atos. As decisões fundamentais da nossa vida têm de ser tomadas quando nos vemos a sós.

Dizem que o momento mais delicado da vida é a hora da morte, e que ali se sente a maior solidão de todas. Por mais que se queira confortar o moribundo, no fundo sabe-se que a experiência da morte é uma vivência solitária e que nenhum de nós terá como fugir desse momento ou adiá-lo.

Certa vez eu estava prestes a pegar um avião, pois deveria ministrar uma palestra em Brasília. No horário previsto, lá estava eu diante daquela aeronave absolutamente sozinho. Perguntei à comissária de bordo:

— Onde estão os outros passageiros?

Ela me respondeu:

— O senhor seguirá sozinho, não há mais passageiros neste voo.

Tomado pelo medo, imediatamente perguntei:

— Por que não cancelam o voo?

Ela me explicou que não seria possível cancelar, pois o avião deveria seguir uma rota predefinida. Aceitei aquelas palavras com certa resignação. Sentei-me numa poltrona perto da porta — nem sei por que — e fiquei pensando: "*E se este avião cair? Como serão as manchetes amanhã? 'Felizmente, apenas um passageiro a bordo'*".

E imaginei os amigos comentando o ocorrido num bar de esquina: "*Azarado aquele rapaz, hein?*".

Na metade da viagem, depois de esgotar todas as possibilidades pessimistas, comecei a pensar: "*Com gente ao lado ou sozinho, o avião, a tripulação, o motor são os mesmos. O que está diferente?*".

E logo encontrei resposta para minha questão existencial, filosófica ou metafísica: "*Como é ilusória a sensação de que ao lado de outras pessoas estamos mais seguros. O que os outros poderiam fazer, em caso de emergência, além de gritar, implorando a proteção de Deus?*".

Compreendi, naquela tarde, que havia uma semelhança entre a vida e aquele voo. A nossa condição humana é de solidão, queiramos ou não. E não adianta insistirmos em manter muita gente ao nosso lado o tempo todo. A vida sempre encontrará um momento de silêncio para nos perguntar a respeito das nossas decisões.

Nada mais sábio do que aprendermos a gostar da nossa própria companhia. Esse é um sinal de que estamos de bem com nós mesmos e com a vida. A cada um cabe não lutar contra isso, mas encontrar formas de conviver com essa realidade o mais saudavelmente possível.

SOBRE OS AMORES DESTRUTIVOS

Amor que destrói não é amor: é covardia. O amor não foi feito para destruir. Tenho visto algumas mulheres vivendo voluntariamente acorrentadas a um relacionamento destrutivo e vicioso, algumas delas dependentes dessa relação doentia. Mulheres que na busca de amar e ser amadas se jogam numa pista de mão única que leva à mortificação interior.

Conheço mulheres que acreditaram que era possível chamar de amor uma relação com pessoas agressivas, cruéis e destruidoras. Imaginavam que o amor delas fosse suficiente para trazer esses homens de volta à civilidade. E acreditavam quando eles diziam amá-las, mesmo depois de agressões físicas ou ofensas verbais. Quem ama não machuca, nem física nem emocionalmente.

Passado algum tempo, essas mulheres perceberam que se anularam, perderam a autoestima, e agora olhavam para si mesmas com vergonha daquilo que restara delas.

Pelo medo de ser abandonadas, fizeram qualquer coisa para impedir o fim do relacionamento. Habituadas à falta de amor, extrapolaram os limites da paciência, confundiram esperança com ilusão. Permitiram absurdos tentando agradar cada vez mais o ser amado.

Isso que elas vivem não é amor. É mentira se alguém diz que ama e agride. Pior ainda quando diz que agride por amor. Há uma canção que tem feito tão bem a tantas mulheres destruídas: *"Eu não quero mais ser da sua vida. Quero ser feliz. Não quero migalhas do seu amor"*.

Não aceite viver de migalhas. Reforce para si mesma as suas qualidades, aquelas qualidades que você sabe que tem, mas estão escondidas e esquecidas nas lembranças do passado. Aprenda a ser verdadeiramente feliz.

Com uma mudança de atitude você pode recuperar a sua autoestima, o respeito por si própria, a sua confiança pessoal. A liberdade de viver a sua vida não tem preço. Mantenha a lealdade à sua própria consciência.

Não permita mais que alguém exerça um poder sobre você em nome de um amor destrutivo. Todo o esforço e toda a energia que você tem empenhado na manutenção dessa realidade poderão ser usados para a conquista da sua liberdade pessoal. Você merece ser feliz, verdadeiramente feliz.

Por outro lado, encontre alguém em quem realmente possa confiar: uma amiga, um amigo, alguém com quem você se sinta livre para poder abrir o coração e falar das coisas que vivencia no seu cotidiano. Contar os sonhos, depositar o coração, a alma, muitas vezes sofrida e abatida. Encontrar alguém que a respeite, alguém que simplesmente saiba ouvir.

E volte à vida. Deixe de lado as migalhas. Viva, não se deixe morrer.

SOBRE A BELEZA DA BONDADE

Ando pensando em tanta gente de coração lindo que a vida me deu a oportunidade de conhecer. Gente de coração tão bom, que mesmo num mundo de tanta injustiça continua a acreditar que vale a pena lutar pela justiça, pela verdade, pelo amor. Gente que continua a educar os seus filhos com frases assim: "*Devolva o lápis do coleguinha. Isso não é seu*". Gente que continua a acreditar que vale a pena ensinar valores morais.

Eu tenho visto gente tão linda, que continua a olhar para a frente e a acreditar que vale a pena ser justo e honesto, mesmo quando ser assim é motivo de chacotas e piadas. Eu tenho visto gente que não aceita fazer pactos baseados nos interesses mais escondidos e sujos.

Tem muita gente boa no mundo. Mas nunca ouvimos falar dos seus gestos, das suas atitudes. A bondade é sempre silenciosa e discreta. Tem gente que deixa de ter determinadas coisas para socorrer outros que nem mesmo conhece direito. Gente de coração grande. Gente que sempre quer repartir com os mais necessitados um pouco daquilo que tem.

A vida já me fez conhecer tanta gente linda. Gente que mesmo em meio à maior tristeza e à maior decepção continua a espalhar amor e bondade. E não desconta a sua dor em ninguém.

Gente linda que sofre e no silêncio ainda reza e perdoa os seus inimigos. Gente que não desiste nunca. Que nunca desanima. Que enfrenta a cada dia os desafios com amor, perseverança e verdade. São pessoas que me dão esperança e fé no futuro.

Lembro-me com carinho de madre Teresa de Calcutá. Ela, que recebeu o prêmio Nobel da Paz em 1979 pelos serviços prestados à humanidade, nos deixou também uma das mais lindas poesias. Diz ela: *"Se você é gentil, podem acusá-lo de egoísta, interesseiro. Seja gentil assim mesmo! Se você é um vencedor, terá alguns falsos amigos e alguns inimigos verdadeiros. Vença assim mesmo! Se você é bondoso e franco poderão enganá-lo. Seja bondoso e franco assim mesmo! O que você levou anos para construir, alguém pode destruir de uma hora para a outra. Construa assim mesmo! Se você tem paz e é feliz, poderão sentir inveja. Seja feliz assim mesmo! O bem que você faz hoje, poderão esquecê-lo amanhã. Faça o bem assim mesmo! Dê ao mundo o melhor de você, mas isso pode nunca ser o bastante. Dê o melhor de você assim mesmo! Veja você que, no final, o acerto de contas é entre você e Deus. Nunca foi entre você e os outros".*

SOBRE AS DECISÕES DIFÍCEIS

Quando uma dificuldade se transforma em angústia? Quando não vemos mais caminhos de saída. Quando nos sentimos sufocados e condenados a viver aquela situação para sempre. Então, muitas vezes, nos desesperamos, e o desespero nos impede de ver as saídas possíveis, nos impede de buscar novas saídas para a situação difícil que enfrentamos. O medo pode nos imobilizar.

O que é insuportável é a sensação de que não há nada a ser feito. Por exemplo, você sabe que alguém da sua família está doente. O que causa angústia é a sensação de não sabermos o que fazer. O que nos faz sofrer, muitas vezes, não é o mal em si, mas a ausência de perspectivas, a nossa impotência diante de fatos nos quais não podemos interferir.

O sofrimento maior está na nossa imobilidade, enquanto aguardamos que alguma coisa aconteça ou se revele.

Olhe para os casais que estão juntos e permanecem juntos motivados não pelo amor, mas pelo medo da separação. Quanta infelicidade, quanta amargura, quanto descontentamento, quanta angústia. São muitos os casos de casais que após a separação conseguiram se reestruturar e passaram a viver uma vida mais saudável.

Em outras palavras, a angústia não está no problema em si, mas na falta de perspectiva de solução para esse problema. Não é o seu casamento infeliz que causa sofrimento, mas a sensação de que isso terá de ser para sempre. Não é a doença que bateu à porta da sua casa, mas é o não saber o que fazer com ela. Não é a droga que o seu filho usa, mas a falta de alguém que ao seu lado diga: há um caminho naquela direção.

O que nos causa medo nem sempre é a realidade, mas a escuridão de algumas noites. Aquela situação que você não consegue olhar e ver com clareza.

Um dia eu vi uma senhora sorrindo e perguntei a ela se sempre estava assim, sorrindo para a vida. E ela me disse que durante trinta anos fora traída pelo marido e, ao longo de todo esse tempo, não queria ver a realidade, vivia sempre tentando negar os fatos a si mesma, até o dia em que tudo se mostrou tão claro e ela, mesmo com dor no coração, tomou a decisão de dizer adeus. E ela me disse: *"Quando eu enfrentei a realidade, a minha vida ficou mais leve, ninguém precisou fazer de conta, ninguém mais precisou mentir, fingir, e eu voltei a sorrir".*

A liberdade interior leva à paz interior. Encare a sua vida. Olhe para a realidade. Por mais dura que ela seja, não a negue. Não adianta se iludir dizendo a você mesmo que tal coisa não está acontecendo. Encare os fatos.

A partir daí, tome as decisões necessárias. Decida de verdade: *"Tudo bem, vou aceitar essa realidade como ela é. Vou continuar nesse relacionamento sem vida, sem amor, sem nada".* Mas torne isso uma decisão sua. E não tente convencer os outros de que essa foi a melhor decisão. Assuma as suas decisões. Assuma a sua felicidade ou a sua infelicidade. Diga para você mesmo: *"É isso que eu quero para a minha vida".*

Um dia alguém me disse: *"Eu não amo a minha namorada, mas vou levando".* E eu disse: *"Levando o quê? Para onde?".* Seja honesto e coerente com os seus sentimentos, as suas escolhas. E ele então decidiu dizer a ela que não dava mais para continuar. Algumas horas depois ele me telefonou perguntando se devia fazer uma visita a ela. Queria saber se ela estava bem. E eu disse: *"Não. Ela não está bem. Ela está sofrendo e chorando".* Embora eu não a conhecesse, podia imaginar o que estava acontecendo com ela. Então eu disse a ele: *"Seja coerente com as atitudes que você tomou. Não dá para encerrar um relacionamento e logo em seguida ir procurar a garota para oferecer consolo".*

Sua angústia talvez não tenha origem no fato real, mas na sua incapacidade de tomar decisões ou de assumir as consequências das suas decisões.

Liberte-se da angústia olhando para a realidade e buscando saídas possíveis. Sem negar os problemas, enfrentando-os como gente grande, como pessoa amadurecida, com coragem e com verdade.

SOBRE O AMOR DAS MÃES

Lembro-me com saudade da minha infância. Quando, nos momentos de angústia e medo, eu corria para os braços da minha mãe. Ela era o abrigo, o porto seguro. Eu via a ternura na sua face, nas suas mãos, nas suas palavras. Acho que Deus falava comigo naquelas noites ao pé da cama quando ela me contava as coisas do céu.

Ao mesmo tempo, é verdade (qualquer psicanalista, psiquiatra ou psicólogo pode confirmar) que muitos dos nossos conflitos estão relacionados à figura materna. E isso não é bom nem ruim. É apenas mais um elemento da nossa complexa condição humana.

Veja, por exemplo, o bebê que acabou de nascer: ele está desamparado, totalmente dependente da mãe para alimentá-lo, aquecê-lo e protegê-lo. Por meio de gritos, expressões corporais e mímicas de sofrimento, o bebê solicita a atenção do adulto, aprendendo, dessa forma, que a fragilidade e o desamparo são ocasiões em que se busca, acima de tudo, ser amado.

Do mesmo modo, nascemos e temos de lutar pela sobrevivência, demonstrando essa fragilidade, esse desamparo e pedindo cuidado. Pedindo atenção. O carinho que o bebê recebe é a primeira forma de amor que ele conhece. Atenção, carinho e cuidado. É o que todo mundo quer ao longo da vida. Porque todo ser humano é carente de amor. E quem ama cuida.

Essa necessidade de ser amado nunca nos abandonará. Com saudade desse passado em que nos sentíamos protegidos, buscaremos ao longo da vida um equivalente à imagem da mãe e à sua carga afetiva nos nossos relacionamentos.

Por isso, muitas vezes acabamos por nos apaixonar por pessoas que de alguma forma nos lembram as nossas mães. A nossa eterna busca de "amar e ser amado". Não é à toa que na nossa sociedade a sogra é tida como intrusa: sogra é a mãe do outro.

Se não houver uma "adoção", uma adaptação de papéis, espaços, condutas, o clima de competição será insuportável. Quem ama mais? Quem ama melhor? A relação entre filhos e mães acaba por gerar muitas vezes ciúme, desentendimentos, mal-estar.

De uma forma ou de outra, é importante admitir que as relações entre mães e filhos são, muitas vezes, conflituosas, pois revelam os nossos temores mais profundos, as nossas inseguranças em relação ao mundo, a nossa sensação de desamparo e a nossa busca insaciável por sermos amados. Mas essas questões devem ser analisadas num divã de terapeuta. Aqui vamos falar do amor de mãe.

Gosto de observar também que a figura da mãe é a que mais se assemelha ao conceito de Deus. Não deve ter sido à toa que, certa vez, João Paulo I, papa que morreu um mês depois de ter sido eleito sumo pontífice da Igreja Católica, mas conquistou o mundo com a sua bondade irradiante e o seu sorriso meigo, disse: "*Deus é mãe*".

Eu fiquei pensando sobre isso. Quais as semelhanças entre Deus e a mãe? E comecei a perceber que o amor de mãe é um amor gratuito. Mãe ama porque ama. E pronto.

Certa vez participei de uma cerimônia de formatura de jovens universitários. Pude observar que logo na entrada desses jovens no palco suas mães estabeleciam contato com esses filhos com acenos, beijos, olhares, sorrisos. E aquela cena me levou de volta à infância. Acabei por me lembrar dos meus tempos de criança, quando nas festas da escolinha a minha mãe ficava ansiosa me aguardando, e quando eu entrava (junto com a turma da primeira série) ela mandava beijinhos, acenos, sorrisos. Ela queria dizer e hoje eu entendo: "*Estou aqui e amo você*".

O tempo passou. E percebi que as mães continuam a fazer os mesmos gestos e a ter as mesmas demonstrações de carinho e afeto, como pude ver na formatura dos já crescidos jovens universitários.

As mães não amam os seus filhos porque eles se tornaram graduados pelos cursos ou pelas universidades respeitadas de alguma parte do mundo. As mães amam porque amam sempre. A mãe está lá, sempre, acenando, seja na primeira aula de natação ou na entrega do prêmio Nobel. Para a mãe, tanto faz. E o amor não muda ao longo do tempo. Continua sempre o mesmo. Assim como continua o mesmo o jeito de dizer que ama: gestos, acenos, beijos, sorrisos.

Elas nos dão a certeza de que, independentemente do modo como vivemos ou das atitudes que temos, das decisões e dos caminhos que tomamos, o amor delas sobreviverá sempre.

Nessa altura eu já não sei fazer a distinção entre o amor do coração das mães e o amor do coração de Deus. Mas talvez nesse ponto esteja o fascínio do sagrado: a pouca lucidez dos limites entre o coração de Deus e o coração das mães. Estão tão próximos e são tão unidos que diante do amor das mães a melhor postura talvez seja o silêncio (que ama). Como o silêncio que se faz nas grandes catedrais ou nos templos sagrados, na certeza de que Deus habita esses lugares.

SOBRE O TEMPO, AS MENTIRAS E A VERDADE

Diz o ditado popular: "*Nada melhor do que um dia após o outro*". As pessoas sábias dizem: "*É preciso dar tempo ao tempo*". Inspirado no dito popular e tentando buscar a sabedoria dos grandes mestres da humanidade, eu venho lhe dizer: "*Não se preocupe, a vida se encarregará de mostrar a verdade, o tempo se encarregará de fazer justiça*".

Tenho visto tanta gente desesperada dizendo: "*Como pode? Será que Deus não vê o que eles estão fazendo? Será que sempre vencem aqueles que mentem, que enganam?*".

Calma. O tempo se encarregará de mostrar a verdade. Não adianta querer apressar o rio: ele corre sozinho. Quantas vezes já testemunhamos situações em que certas pessoas agiram com falsidade, com má intenção e depois de algum tempo a verdade veio à tona e a vida se encarregou de fazer justiça?

É comum também vermos pessoas sofrendo pelas suas atitudes do passado, pelas sementes ruins que um dia plantaram. Se alguém lhe fizer algum mal, atingindo-o com comentários maldosos, com mentiras, com calúnias, calma. Às vezes é melhor não dizer nada. O inferior reage, o superior cala. O tempo passa e mostra que existe justiça para as pessoas que sofrem em silêncio.

Não estou dizendo para você nunca reagir. Estou apenas lembrando que em determinadas situações o silêncio é a melhor resposta.

A vida se encarrega de mostrar a verdade. Quem planta a semente da maldade só pode colher o fruto da maldade. É só uma questão de tempo. Então, não perca tempo querendo retribuir as maldades que lhe fazem, não se deixe contaminar por sentimentos mesquinhos.

Não encha o seu coração de rancor. Tudo retorna para nós de alguma forma, algum dia. Se você já fez sua parte, dizendo o que precisava ser dito, mostrando a realidade das coisas, não se omitindo em questões que exigiam uma postura de justiça, apenas confie, e um dia os outros saberão distinguir a calúnia da verdade.

Fique em paz. Não há segredo que não seja revelado. Não há mentira que não seja descoberta.

E quem viver verá.

SOBRE OS PACTOS COM A MEDIOCRIDADE

Amor é um sentimento. Não é motivo para você se prejudicar. Não se pode pagar pelos erros dos nossos seres amados. Cada um tem a sua vida, cada um constrói a sua história. No entanto, eu vejo muita gente em dúvida sobre o que faz pelos filhos, pelos pais, pelos avós. Muita gente sente remorso ao dizer "não" para aqueles que amam.

As nossas atitudes impulsionadas por amor devem gerar somente coisas boas para nós. Se você faz algo por amor e se sente prejudicado, não faça mais. Se você faz algo por amor e o ser amado continua a errar, continua a fazer coisas que colocam em risco a felicidade, a paz, o equilíbrio da sua família, você está fazendo a coisa errada. Se você paga as dívidas de jogo do seu pai ou do seu irmão, você está prolongando uma agonia.

Amor não pode ser usado como justificativa para gerar sofrimento. Atitudes tomadas por amor devem gerar paz, equilíbrio e tranquilidade de espírito.

No entanto, o amor exige, em determinados momentos, deixarmos de lado os pactos silenciosos que prolongam a agonia para a tomada de decisão que favorece o amadurecimento do outro.

E para isso muitas vezes não resta outro caminho a não ser dizer um definitivo e categórico "não". Amor se mostra, em certos momentos, de maneira dura, com palavras duras, com posturas que não comportam negociação.

Lembro-me de que num fim de semana de verão fui convidado para fazer várias palestras na cidade de Assis, a duas horas de Roma. Uma região de montanhas, lindíssima. A terra onde São Francisco de Assis lançou-se na mais fascinante história de amor, a ponto de chamar a natureza de sua irmã. O irmão sol, a irmã água, a irmã chuva. E naquele cenário Francisco se tornou o irmão do mundo, da natureza, da vida e da morte.

Numa das manhãs, fiquei um longo tempo sozinho sentado numa rocha. Uma garota sentou-se ao meu lado. Começou a lamentar-se da vida. Das oportunidades que lhe haviam sido roubadas. De quanto as coisas não aconteciam segundo as suas expectativas. Falou-me de quanto tudo lhe parecia tão sem graça.

Tinha tudo, e tudo era tão pouco. Contou-me das suas revoltas, em detalhes.

Ouvi tudo. Silenciosamente. Continuei a olhar o horizonte. Num determinado momento, ela parou de falar e me disse: "Você não diz nada?". Eu continuei olhando para a frente e respondi: "Enquanto você fala como uma criança, eu não tenho nada a lhe dizer. Enquanto você se coloca como vítima da vida, do mundo e de você mesma, não devo lhe dizer nada".

Percebi que aquelas palavras soavam estranhas para ela. A família sempre lhe proporcionara tudo. Eu havia lhe dado o seu primeiro "não".

Depois de algum tempo ainda em silêncio, continuei: "Você sabe que tem asas. Estamos na montanha. A montanha é o lugar apropriado para começar o voo. Olhe a montanha e o vale. Voe. Temos pouco tempo. Dificilmente a vida nos possibilitará outro encontro. O meu trem está partindo, e o seu também. Na vida tudo é muito breve, não perca essa oportunidade de superar a si mesma".

Algumas horas depois, peguei as minhas malas. Retornei da montanha. Devo dizer que senti vontade de ficar lá. Mas me lembrei de que lá era apenas o lugar de começar o voo e não de fazer morada. Era preciso voltar. Pegar o trem na estação.

Passados alguns meses, recebi um bilhete pelo correio com uma simples frase: "Começo a fazer os meus primeiros voos. Não sei ao certo aonde vou chegar. Mas você estava certo. Tenho asas para voar".

Entre chegadas e partidas, a vida tem me ensinado que uma das expressões de amor é despertar, em alguma montanha da vida, o desejo em alguém de superar a si mesmo e buscar novos horizontes.

Não faça pactos com a mediocridade. Não prolongue uma situação de estagnação. Diga "não". Seja firme. E veja como a vida se torna mais rica e fascinante quando você se sente capaz de alçar seus próprios voos.

SOBRE O DOM DE OUVIR

Pelo meu passado de estudo e reflexão, considerava que meus mestres de filosofia, teologia e comunicação teriam as respostas mais precisas para as angústias humanas. Mediante o conhecimento, eu poderia ser a ponte entre um problema e uma solução, um canal de conexão entre o sofrimento e o bálsamo.

No entanto, tenho percebido que as respostas só são válidas na medida em que o ouvinte, o receptor dessa mensagem, esteja, em primeiro lugar, disposto a ouvir. E, em segundo lugar, que tenha a capacidade de se enxergar de outra perspectiva, na coragem de enfrentar a si mesmo e se dispor às mudanças.

Ninguém muda ninguém. Se o outro não se mostrar aberto ao diálogo, haverá poucas possibilidades de transformação. O amadurecimento pessoal se revigora nas relações saudáveis, num processo contínuo de aprimoramento baseado no encontro em profundidade com o outro.

É verdade, também, que a maioria das respostas está dentro de cada um de nós. Para chegar ao cerne de um problema é preciso fazer uma autorreflexão, na busca de contato com o nosso *eu interior*.

Mas estamos com muita pressa. E, como diz o poeta, "a vida acontece enquanto nos preocupamos com tantas outras coisas". A nossa sociedade, imersa nas muitas atividades do dia a dia, não favorece a experiência do encontro pessoal. Por isso, afastar-se um pouco do barulho e da agitação é condição fundamental para ouvir a voz silenciosa do coração.

Às vezes, é preciso se distanciar de um problema, refugiando-se no silêncio, para poder ver com mais clareza a solução ou, por que não dizer, as múltiplas possibilidades de solução.

Você sabe que a paz interior não se conquista mundo afora. Somos um verdadeiro universo e precisamos de coragem para explorá-lo. Coragem de mudar, de tomar decisões, de recomeçar a cada novo dia. Coragem de pensar e agir de forma diferente, com a capacidade de ouvir os outros e a si próprio. Isso requer humildade e desejo de aprender.

O encontro com o outro, mais do que uma oportunidade de responder a questões existenciais, é um momento sagrado, uma ocasião única de ouvir a suave voz do coração, pedindo atenção e cuidado.

Talvez seja esse o clamor sutil e delicado que Clarice Lispector expressou em sua poesia: "*Ouve-me, ouve o meu silêncio. O que falo nunca é o que falo e sim outra coisa. Capta essa outra coisa de que na verdade falo porque eu mesma não posso*".

SOBRE FÉ E RELIGIÕES

Nenhuma religião é proprietária de Deus. Deus está além das religiões. Pode agir onde quer e da forma que quer. Não há um limite para Deus.

Muitas pessoas têm agido de forma discriminatória, desprezando e acusando outras religiões de uma forma cruel e mesquinha, como se Deus só pudesse ser encontrado dentro da religião delas, e mais, dentro de determinados templos sagrados.

Nunca devemos perder de vista que a lei suprema é o amor. Em nome de Deus, ninguém tem o direito de condenar ou julgar quem quer que seja. Convivo com católicos verdadeiramente envolvidos com a Palavra de Deus. Conheço espíritas que amam tanto aquilo que fazem, que o exemplo de vida deles me fala do Evangelho. Tenho convivido com evangélicos sérios. Judeus, muçulmanos, budistas que me mostram cada vez mais que Deus é único e está em todo lugar.

Ninguém tem o direito de ridicularizar a fé de ninguém. Soube da triste história de uma senhora que insistia em convencer a outra a se separar do marido somente pelo fato de que ele pertencia a outra crença religiosa. Como se pertencer a outra denominação religiosa fosse barreira contra o amor conjugal.

Deus vê além das religiões.

Ele olha para o coração humano.

Tenho visto muitas pessoas querendo colocar este ou aquele indivíduo no inferno, como se já estivessem de posse de um bilhete premiado que lhes desse acesso ao paraíso.

É pena que seja assim. Quanta prepotência ou, quem sabe, quanta ignorância. Talvez Jesus se referisse a esses que agem assim quando dizia: *"Ai de vós, fariseus hipócritas, que colocais um peso tão grande sobre os outros que nem mesmo vós conseguis suportá-lo"*.

É importante lembrar sempre que há uma centelha de Deus em cada pessoa. Pelo simples fato de ela ter nascido e estar aqui. Há algo sagrado em cada coração. E o sagrado em cada um tem de ser respeitado, porque ali é a residência de Deus.

Tenho visto pessoas com ciúme quando encontram alguém falando de Deus e esse alguém não pertence ao seu credo religioso. Como seria bom se todos falassem de Deus com ternura, amor, verdade.

Deixe a misericórdia de Deus agir. Nós seremos julgados no momento em que estivermos diante de Deus pelo amor que manifestamos pelo nosso próximo.

Não olhe para os rótulos que as pessoas ostentam. Veja em cada ser humano uma oportunidade que Deus lhe dá para fazer a mais linda de todas as experiências: amar e ser amado.

SOBRE O QUERER E O PODER

Tenho visto pessoas frustradas e infelizes porque não conseguem aquilo que querem. Elas repetem que "querer é poder" e insistem num caminho que nem sempre irá levá-las a algo produtivo. Essa máxima não se aplica a tudo na vida.

Um jovem, outro dia, me disse que seria muito feliz se conseguisse trabalhar em determinada empresa, em tal função, com tal salário. Ele já sabia tudo o que queria. Sugeri que ele continuasse os seus estudos, aperfeiçoando-se cada dia mais nos seus conhecimentos. Não vi na sua face nenhum interesse em lutar. Ele apenas queria que tudo acontecesse como num passe de mágica.

Fiquei pensando em como o desejo dele pode ser um caminho para a decepção. Quer dizer que se não for tudo daquele jeito não estará bom? Exatamente.

Para tudo existe um mercado e não faltam ofertas, aos montes. Com esse pensamento, ele seria apenas mais um nesse universo fortemente marcado pela competição.

O profissional que, certamente, irá conquistar a vaga que aquele jovem queria muito provavelmente será alguém que não projetou isso para si. Será alguém que se preocupou em ser um bom profissional na sua área, que se destacou pelo trabalho benfeito. A empresa buscou, pesquisou e quis contratá-lo.

Querer é poder desde que o que você quer dependa única e exclusivamente de você. Quem quer pode. Mas nem sempre quem quer tem.

Eu quero ser um excelente profissional. Eu posso me manter atualizado na minha área. Eu quero emagrecer, posso fazer dieta e me manter nela. Eu quero fazer trabalho voluntário, posso arrumar um tempo na minha agenda para me dedicar às outras pessoas. Eu quero falar inglês, posso estudar até conseguir compreender e assimilar as palavras do novo idioma.

Eu quero, eu posso. Tudo bem. Mas, se o que eu quero depende da vontade de outras pessoas, isso nem sempre dá certo. Eu quero uma determinada vaga numa empresa. Eu quero ganhar um carro. Eu quero ser amado por aquela pessoa. Essas coisas mostram os nossos desejos, as nossas vontades, e às vezes até nos sentimos no direito de receber. Mas saiba que a nossa percepção não é a mais correta, não é a mais justa.

Ninguém vai conseguir tudo o que quer, mas se você souber apreciar o que tem já estará mais perto de compreender o seu espaço no mundo. Se conseguir doar, estará espalhando uma semente que dará frutos mais tarde.

A atitude verdadeiramente recompensada não é aquela que tem intenção particular, egoísta: *"Eu quero um amor porque quero ter família, porque mereço ser feliz"*. Ou ainda: *"Eu quero esse trabalho, esse emprego porque quero ganhar esse salário bom, porque eu acho que mereço, porque já trabalhei muito e hoje quero ficar mais tranquilo"*. Eu. Tudo eu. E quem estiver ouvindo vai se perguntar: *"E o que nós temos a ver com isso?"*

Você pode ser amoroso, amável, gentil, talentoso, um profissional incrível, mas se seu discurso for esse — de quem acha que merece e tem direito — você não vai conseguir convencer quem está por perto. Nem no amor, nem no trabalho.

Faça um exercício contrário: ame, mas com um amor generoso. Aceite a família que tiver e, se ela não for exatamente do jeito que você planejou, não ame menos. Ninguém tem a família perfeita. Um profissional pode adotar a postura de se colocar à disposição. O que eu posso fazer para ajudar essa empresa a crescer? Em que aspectos posso contribuir para deixar o mundo melhor? O que as pessoas ao meu lado podem aprender com a minha experiência?

Assim, com essa postura de oferecer algo, as pessoas terão uma visão mais generosa ao seu respeito. E podem querer ajudá-lo a conseguir o que você quer. Lembre-se: sofremos por coisas que dependem de outras pessoas. Muitas vezes, o nosso sofrimento não vem de coisas vividas, mas das que não se realizaram, do descompasso entre sonho e realidade. Espalhe as suas intenções com generosidade. Corra atrás dos seus sonhos, lutando por eles. A felicidade, muitas vezes, está na busca. E seja feliz mesmo que não tenha todas as coisas que deseja.

SOBRE CHEGADAS E PARTIDAS

Cresci com a certeza de que *"sempre há tempo"*. Essa era a frase dita pelas pessoas que eu considerava sábias e, consequentemente, preparadas para enfrentar os obstáculos da vida. No entanto, devo anunciar a minha mais recente descoberta: *"Nem sempre há tempo"*.

Essa expressão pode ser adequada às mais diferentes áreas da vida. Trago, neste momento, o foco para o "relacionamento de casais".

Ela se dedicou durante muitos anos às demonstrações de amor e afeto para com seu marido. Sonhou com pequenos sinais de correspondência e com aceno de esperança. Após quinze anos, toma consciência de que está literalmente sozinha, frustrada e infeliz. Pior ainda: ao lado de alguém que não passa de um desconhecido. Todas as suas tentativas e lutas na busca de um relacionamento minimamente saudável foram em vão.

Súbito, ela encontra forças — que nem sabe de onde vieram — e passa a cuidar mais de si mesma. Fala em reencontrar as suas amigas do passado, inicia aulas de dança, entra na academia de ginástica, visita salas de cinema como uma criança que agora pode ver os seus filmes na grande tela.

Em outras palavras, ela descobre que a sua vida não depende de "outra vida", nem depende de ninguém.

Por ironia do destino, ele, sentindo-se ameaçado pela independência conquistada pela esposa, inicia o processo de reconquista: passa a ser mais atencioso, telefonando ao longo do dia e se interessando pelas coisas dela; chega a fazer pequenas surpresas, como o envio de flores e a reserva num restaurante dos tempos de namoro. Enfim, ele parece ter acordado para a importância desse relacionamento e do significado da vida a dois.

E aí? Ela fica feliz e vivem felizes para sempre? Não. Ela começa a dizer: *"Ele está tão mudado. Vejo o seu esforço. Uma amiga até insistiu para eu lhe dar uma chance. Mas eu não sei. Não sinto mais aquele amor. Acho que é tarde demais para tentar uma reconciliação".*

Claro. Foram anos de menosprezo e indiferença. Foram sonhos estraçalhados como papéis deixados numa rodovia. Foram noites, manhãs e tardes de uma solidão cáustica e silenciosa.

Então, pode acreditar: "*Nem sempre há tempo*". O seu tempo pode não ser o tempo do outro. E nesse descompasso, como passageiros numa estação de trem, chegadas e partidas podem ser decisivas para destinos opostos.

Faça agora o que deve ser feito, agora. A vida não espera. E nem sempre há tempo.

SOBRE EMOÇÃO E SAÚDE, PERDÃO E PAZ

Segundo a escritora Naomi Wolf, em *O mito da beleza*: "*A dor é real quando se consegue que outras pessoas acreditem nela. Se ninguém, exceto você, nela crê, sua dor é loucura ou histeria*".

Todo ser humano é carente de atenção. Alguns chegam a adoecer na expectativa de serem percebidos pelos parentes e amigos mais próximos. Em muitos casos, a doença pode se tornar um grito desesperado do corpo e da alma.

Não são poucos os estudos que associam a repressão dos sentimentos à causa mais comum da fadiga e da doença. Reprimir as emoções poderá levá-lo a ter alergias, doenças de pele, dores de cabeça e dores nas costas.

Qual caminho seguir para superar essa situação? Tocar as emoções. Conhecer a nossa verdade, enfrentar com coragem nossos medos e nossas fraquezas. Falar com simplicidade das nossas limitações, admitindo-as e nos perdoando por elas. Esse é o caminho de superação das nossas angústias, das nossas dores, das nossas ansiedades.

Gosto de ver as pessoas no processo de verdadeira busca interior. Elas passam a entender que a vida não é uma vitrine para exposição, mas sim uma oportunidade de aprendizagem e descobertas.

Certa vez li um livro cujo título era *Por que tenho medo de lhe dizer quem sou?* Nesse livro o autor, John Powell, dizia: "*Tenho medo de dizer ao outro quem eu sou porque me sinto inseguro, pode ser que o outro não goste daquilo que eu sou na mais profunda verdade*". Completava ele: "*Você pode não gostar daquilo que eu sou, e isso é tudo o que eu tenho a oferecer*".

Talvez essa seja a razão de tantas mentiras nos nossos relacionamentos, tantas tentativas de mostrar ao outro algo que eu não sou e nunca serei.

No entanto, essas mentiras não sobrevivem aos embates da vida. Conhecer a nossa verdade. Tocar os nossos medos. Falar sobre as nossas raivas. Só assim nós, seres humanos, amadurecemos. Com a tomada de consciência da nossa verdade interior.

Enquanto negamos as nossas emoções, elas têm o poder de se tornar fantasmas que nos habitam. E permanecerão vivas em nosso âmago.

Falar sobre os nossos verdadeiros sentimentos não é útil apenas para uma relação autêntica, é essencial para a nossa integridade e a nossa saúde físicas e mentais.

A raiva pode nos ferir. A hostilidade pode ser venenosa. O medo pode nos atormentar, roubar o nosso sono e preocupar os nossos pensamentos.

A cura? O perdão. Ele libera a raiva e acalma o corpo. À medida que se ensaia mentalmente o perdão, já se começa a sentir os seus benefícios.

Quanto tempo perdemos cultivando os nossos rancores, mágoas e medos. Quantas noites desperdiçadas com ódios e culpas. A vida é muito curta para nos darmos ao luxo de não viver bem.

Um dos homens mais sábios que conheci na vida certa vez me ensinou: "*Não há feio ou bonito nos sentimentos. Não precisa ter vergonha das coisas que você sente. Os sentimentos não são certos ou errados. Eles apenas estão ali. Não depende de você sentir ou não sentir. O que verdadeiramente importa é o que você fará a partir dos sentimentos que traz no coração*".

Você pode sentir raiva de alguém. Isso não depende de você. Mas partir para a agressão física ou verbal, arquitetar meios de prejudicar esse alguém, isso é deixar-se levar pelos impulsos e pelos sentimentos.

Perdão não é sentimento. É decisão. É atitude. Perdoar é devolver a você mesmo a paz da alma. É a possibilidade de voltar a sorrir. É apostar que a vida vivida de forma leve é mais prazerosa. Perdoar está associado fortemente à dimensão espiritual, porque é algo sublime, sagrado, nobre.

Mas e o esquecer? Algumas pessoas dizem "perdoo, mas não esqueço". Quando se perdoa de verdade, a lembrança não trará mais dor. E esquecer será uma questão de tempo. Não se preocupe com isso. Se não conseguir perdoar, pelo menos não alimente a raiva pensando em detalhes do acontecido, pois ruminar internamente as causas da raiva serve apenas para aumentá-la.

Então, cada vez que você se lembrar do ocorrido que lhe causou tanta dor, renove o perdão. Perdão é algo que poderá exigir, de algumas pessoas, uma decisão diária, uma prática constante.

O perdão não é uma concessão a quem o magoou. Ele faz muito mais bem para você que perdoa. Perdoe. Perdoe sempre.

SOBRE SER INTEIRO

O que mais vejo é gente que coloca a felicidade nas mãos dos outros, em outra coisa, em outra pessoa, em outra situação, em outra cidade, em outro lugar.

Um dos erros mais comuns é não procurar a felicidade dentro de si, produzindo assim uma equação perigosa: "*Só serei feliz se ele me amar; se ela não me deixar; se eu conseguir um emprego, uma promoção, se eu trocar de carro, se eu comprar uma casa*". A condição de ser feliz resumida num "se".

Todo mundo quer e deve perseguir uma vida financeiramente estável, uma companhia, um amor que preencha emocionalmente. Mas ninguém pode depender somente dos fatores externos para ser feliz.

Nenhum amor é obrigado a durar para sempre. Seja, portanto, um ser inteiro antes de ser apenas a metade de um casal. Eu gosto de dizer que um casal é feito de dois seres inteiros e não de duas metades.

Por que há de ser apenas metade se você é um indivíduo e o seu cônjuge é outro? Somente um ser íntegro, inteiro, pode dizer que ama e é amado. Projetar no outro o ideal de amor romântico, de sucesso de vida torna-se sempre uma grande complicação.

Lembro-me de um poema de Fernando Pessoa: *"Para ser grande, sê inteiro: nada teu exagera ou exclui. Sê todo em cada coisa. Põe quanto és no mínimo que fazes. Assim em cada lago a lua toda brilha, porque alta vive"*.

Ser e estar inteiro é assumir-se como ser humano saudavelmente independente.

Muita gente projeta suas frustrações e exige sucesso na vida dos filhos: *"Quero que meu filho estude o que eu não pude estudar. Quero que ele cuide da minha firma. Quero que se case e me dê muitos netos. Quero que viaje o mundo e curta a vida, que faça tudo o que eu não pude fazer"*.

Cada um tem a sua vida. Você pode estimular e incentivar, mas não pode exigir que ele viva a sua vida. Você pode comemorar as conquistas dele, mas não é saudável que tente partilhar com tanta intensidade todos os momentos da vida dele. Tudo isso poderá sufocá-lo.

Antes de contratar novos funcionários, as empresas observam a maturidade dos seus candidatos às vagas disponíveis, pois a psicologia empresarial sabe que as crianças de famílias superprotetoras encontram dificuldade para se colocar no mercado de trabalho. São inteligentes, mas não têm maturidade para enfrentar um ambiente de convívio com diferentes personalidades. E muitas vezes existem personalidades difíceis.

E essa aprendizagem começa cedo: fazer o dever de casa é problema da criança. Supervisione, incentive, mas não faça o dever para o seu filho. Respeite o espaço dele.

Todo pai fica feliz de ver o seu filho feliz. Isso é normal. O que não é normal é viver a vida do filho e interferir nessa vida, decidir por ele com a certeza de que você sabe o que é melhor, sempre.

Eu já ouvi muito a frase: "*Vou facilitar o caminho para ele porque a vida é difícil lá fora*". Também já ouvi inúmeras vezes: "*Eu não tinha dinheiro para comer o que eu quisesse, por isso quero que o meu filho coma tudo o que quiser*". Criança não sabe escolher, não é nutricionista. Aí fica obesa ou desnutrida, mas o pai prefere isso a contrariar o filho.

Esses pais vão acabar criando seres humanos frustrados, pois o mundo não é assim. Veja a borboleta. Ela não pode receber ajuda para sair do casulo, pois nesse caso ela não aprenderia a voar. A dificuldade é que vai ajudar a dar forças para as asas.

A projeção das próprias frustrações e dos próprios desejos num filho é o pior que um pai pode fazer. Se você ama o seu filho, e certamente você o ama, deixe que ele cresça perto de você. Fique ao lado dele, mas não assuma as coisas dele como coisas suas. Às vezes alguém quer ajudar e acaba por tirar do outro a oportunidade de aprender.

SOBRE AS MULHERES LUTADORAS

Quero fazer uma homenagem às mulheres lutadoras que a vida me deu como um verdadeiro ensinamento. Mulheres das mais diferentes idades, mas que não desanimam nunca. Mulheres que assumem uma gravidez mesmo que sozinhas. E que continuam a acreditar na vida.

Mulheres que trabalham o dia todo fora de casa e ao voltar para casa ainda encontram forças para a terceira jornada: lavar, cozinhar, cuidar das crianças, fazer a lição com os filhos. E eu me pergunto: de onde vem essa força que as torna "mulheres de aço"? De onde vem essa força que as leva a sacrificar-se pelos filhos, até a morte se necessário?

Marias, Teresas, Luizas e tantos outros nomes, que nunca terão reconhecimento público pelos seus atos, gestos ou lutas. Nunca terão os seus nomes dedicados às ruas das grandes metrópoles. Mas terão sempre o respeito e o amor daqueles que apreciam a grandeza dos pequenos gestos, a sabedoria da doação que não faz alarde, a beleza do amor silencioso.

Assim, imerso nas minhas reflexões, andei perguntando a algumas mulheres: "De onde vem essa força?", numa busca sincera de conhecimento e de entendimento.

Uma delas me escreveu dizendo: "*A mulher encara a vida de maneira diferente do homem porque ela pode ser mãe. A mulher aceita a vida, não briga com a vida. Ela é mais acolhedora, mais conciliadora, mas nem por isso menos batalhadora. Se você quiser saber de onde vêm a confiança e a fé da mulher, eu vou responder que a mulher tem sempre a perspectiva de ser mãe. Mesmo quando ainda é menina. E de onde a mulher tira a sua força? A gente nasceu com o dom de gerar vida. Ter filhos. Parece antiquado, mas é isso. E esse dom está dentro da mulher. No útero. Acho que não existe termo mais apropriado para 'interno e protegido' do que útero*".

Essa capacidade de desenvolver dentro de si um outro ser já faz da mulher um templo de energia vital, mesmo que ela ainda não seja mãe e mesmo que nunca venha a gerar uma criança. Se ela tem essa capacidade, tem essa força dentro dela.

As mulheres não precisam provar nada para ninguém quando o assunto é maternidade. Mulher é forte porque é. Tem de ser. Não escolhe ser. É da natureza feminina aguentar o baque. Cuidar. Proteger. Prover. A maternidade oferece às mulheres uma experiência que homem nenhum jamais saberá a que se refere. Por mais próximo que seja o pai durante todo o processo de gestação, ele está longe de compreender o espírito da maternidade. As mães têm uma realização pessoal única que é a certeza da existência de Deus. E elas encaram a vida e têm fé no futuro porque colocaram na Terra o fruto do seu ventre.

SOBRE A FELICIDADE

No meu modo de entender, há certo mal-estar rondando a humanidade. Uma acelerada insatisfação. Vejo crescer nas prateleiras das livrarias o número dos livros que prometem ensinar o caminho da felicidade. Nunca na história da humanidade falou-se tanto em vida saudável e feliz. Tenho a leve impressão de que o excesso de discursos sobre o tema não seja sinal de abundância, mas de ausência de felicidade e de uma busca desesperada por algum sinal da sua possível existência.

Felicidade não é meta: é consequência. É a colheita das ações plantadas ao longo do tempo. Por isso, felicidade não se improvisa. Felicidade não é simplesmente sentir-se bem. É fazer o bem. Gostar de viver. Tocar as coisas simples da vida e sentir o sabor do contentamento pela sua gratuidade.

As pessoas que são felizes percebem o mundo como um lugar mais seguro, sentem mais facilidade para tomar decisões, procuram formas mais saudáveis de vida e manifestam mais satisfação e prazer em viver.

Felizes não são pessoas poupadas dos sofrimentos, das dificuldades, dos obstáculos. Mas pessoas que conseguem ver além da própria realidade ou dar um sentido novo e dinâmico ao cotidiano.

Certa vez fui convidado a dar uma palestra na cidade de Campo Grande. No dia marcado, cheguei à rodoviária, comprei a minha passagem. Encontrei o meu lugar no ônibus. Notei uma senhora se aproximando com uma criança deficiente mental nos braços. Sentou-se com aquela criança ao meu lado.

O ônibus deixou a cidade de São Paulo e logo a criança, sem nenhuma coordenação motora e balbuciando sons incompreensíveis, parecia ficar a cada quilômetro mais agitada. Duas horas depois, olhei para aquela mãe e disse com ternura: "*Senhora, deve ser difícil*". Imaginei, com minhas palavras, estar aliviando o peso que talvez ela estivesse sentindo.

Então, com calma e bondade, ela me respondeu: "*Difícil, não, moço. Essa criança é o meu presente. O presente que eu ganhei dos Céus*".

Até o fim da viagem, confesso que não consegui pronunciar mais nenhuma palavra. E até hoje ainda me lembro do episódio com constrangimento. Aquilo que para mim seria dor e sofrimento, para ela era a razão de viver.

Nem sempre a felicidade está naquilo que é previsível. Muitas vezes ela está na maneira como enxergamos a realidade.

Algumas pesquisas americanas publicadas no periódico *American Psychologist* revelaram que a felicidade tem relação direta com o fato de termos objetivos, finalidades, motivos para viver. É preciso ter razões para acordar pela manhã. Razões para viver o dia.

As pessoas mais felizes que conheço necessariamente não são as mais ricas, as que ostentam uma ótima saúde, nem as que se destacam pelo grau de inteligência. As pessoas mais felizes que conheço são as que conseguem dar sentido à vida.

E dar sentido à vida começa com as coisas mais simples: buscar pequenos progressos diários; agir de modo feliz; expressar uma face feliz; falar com carinho de si mesmo; procurar tarefas e lazer que utilizem as próprias habilidades; respeitar o próprio corpo; priorizar as relações mais próximas; fazer o bem sem olhar a quem; ser grato em relação à vida; cuidar da própria espiritualidade; cultivar a esperança e os pequenos gestos de amor.

Sentido para a vida não é um fato, mas uma forma de olhar o mundo. Por isso, ser feliz é uma descoberta pessoal.

Por outro lado, é fascinante perceber que, quando nos sentimos felizes, estamos mais predispostos a ajudar os outros. O encantamento por viver nos conduz a ajudar as pessoas e também a descobrir sentido para a vida delas.

Cultive, a cada dia, razões para viver. Isso não é garantia de uma vida mais fácil, mas é o caminho para uma vida mais plena, realizada e feliz.

SOBRE AS DISTÂNCIAS QUE NOS PROTEGEM

Algumas mães me perguntam: "*Onde foi que eu errei? A minha filha é tão simpática com as amigas, tão delicada com o namorado, mas comigo está sempre nervosa, parece descarregar em mim todas as suas frustrações, todas as suas mágoas. Ela chega do trabalho, muitas vezes, nervosa. Eu simplesmente pergunto como foi o seu dia e ela me responde de forma tão rude. Onde foi que eu errei?*"

Tenho ouvido essa história com muita frequência. Eu devo lhe dizer que você não errou em nada. Há um processo chamado deslocamento, no qual procuramos transferir a agressão recebida para um local ou uma pessoa onde nos sentimos mais seguros.

Então, a sua filha, que foi humilhada pelo chefe, volta para casa e tudo o que não conseguiu e não pôde dizer para ele acaba descarregando na família, o lugar onde depositamos muitas das nossas angústias.

Não estou falando que isso é maravilhoso, que é justo, que é bom. Estou apenas dizendo que aquela filha, no fundo, sabe que se explodir com você não sofrerá grandes consequências. Essa atitude poderá até deixar você triste, mas ela sabe que pode contar com o seu perdão sem sofrer represálias.

Também não estou dizendo que você, mãe, deva aceitar ser tripudiada, "feita de gato e sapato", como se diz no linguajar popular. Estou apenas mostrando uma possibilidade para que você não se culpe pelas atitudes da sua filha como se tivesse feito algo errado. Não, você não errou em nada.

Aprenda a se distanciar um pouco dos acontecimentos para pensar melhor. Assim, perceberá que as pessoas à sua volta têm os seus problemas. Tentarão, muitas vezes, descontar a raiva, a mágoa, as frustrações em quem estiver por perto. Mas não entre nesse jogo. Aprenda a separar as coisas. Determinados problemas não são seus. E, estrategicamente falando, não deixe que se tornem seus. Tenha uma boa compreensão dos fatos e tome certa distância para se proteger.

SOBRE A GRANDEZA DAS PEQUENAS COISAS

Somos mais afetados pelas coisas que estão próximas de nós. Atitudes, gentilezas, palavras, pessoas. O planeta pode estar passando por uma crise econômica, mas nós só percebemos isso quando aumenta o preço do pãozinho na padaria da esquina. O preço do barril do petróleo no Oriente Médio subiu, mas essa influência é sentida por nós apenas na hora de abastecer o carro.

O mundo é imenso, os problemas são gigantescos, há milhares de pessoas à nossa volta, mas as situações somente são por nós percebidas nos detalhes que nos circundam, na proximidade, no que é ou parece pequeno. O que nos incomoda, afeta, alegra, estimula são os pequeninos detalhes que pontuam o nosso cotidiano.

E assim também ocorre nas relações humanas: elas se avolumam e se intensificam a partir de pequenas sutilezas.

Um sorriso, um beijo, um abraço, uma carta, uma flor. Quem não se encanta quando vê uma criança falando *"Muito obrigado"* ou *"Por favor"*? Quem não se sensibiliza com o romantismo do cavalheiro que abre a porta do carro para a sua dama? Quem não fica agradavelmente surpreso quando vê alguém pedir desculpas ao outro? Não é especial ouvir *"Eu te amo"*, com olhar de sinceridade, em qualquer data, em qualquer momento?

Quem disse que não é preciso agir assim todos os dias? Quem determinou que as pequenas gentilezas estão fora de moda? Como é que o outro vai perceber que somos educados e agradecidos se não o demonstrarmos por esses pequeninos gestos de amor que fazem tanta diferença?

Um indivíduo pode se considerar uma pessoa bem-educada e o melhor motorista do mundo, mas, se fechar um cruzamento, isso demonstrará falta de educação e de civilidade.

Pode se dizer preocupado com a ecologia e o futuro do planeta, mas, se jogar um pedacinho de papel no chão, vai demonstrar exatamente o contrário.

Muitas pessoas, casadas há anos, apesar de levarem uma vida conjugal tranquila, nem mesmo se lembram de quando foi a última vez que disseram ou ouviram que amam ou são amadas.

Tentemos nos lembrar de quando foi a última vez que elogiamos alguém. Elogio sincero, não uma crítica disfarçada. Talvez tenhamos dificuldade de nos lembrar.

Às vezes deixamos muita coisa subentendida. E é importante dizer. É importante praticar ações bem-intencionadas. Fazer pequenas gentilezas nos fará sempre muito bem, porque uma pessoa pode estar de mau humor, mas não ficará pior se lhe desejarmos bom dia com um sorriso sincero. E a luz de um sorriso lançado sempre nos retorna em dobro, iluminando o nosso caminho.

Do mesmo modo que as formas de um objeto se modificam dependendo do ângulo pelo qual o olhamos, algumas atitudes, ações ou reações têm várias maneiras de ser vistas.

Sorrir sempre, ser positivo, olhar nos olhos, ser sincero ao cumprimentar alguém são pequenos gestos de carinho que produzem grande satisfação no coração das pessoas. O que queremos que as pessoas vejam quando olham para nós?

É isso. Caprichar nos detalhes, nas pequenas gentilezas. E sentir que o mundo à nossa volta começa a ficar melhor.

SOBRE OS AMORES, OS CONFLITOS E AS ILUSÕES

Ela me procurou às pressas. Parecia ter uma grande novidade ou descoberta para me contar. Com os olhos marejados me disse: *"Durante muitos anos eu não quis enxergar. Tentava me enganar, negando que esse relacionamento havia chegado ao fim. Não posso mais viver dessa forma. Preciso ir em busca da minha dignidade"*.

Em meio a tanta dor, fiquei olhando para aquele rosto sofrido, aquele coração ferido, aquele espírito desassossegado. No meu silêncio, em respeito ao seu luto, senti uma grande paz interior. Tive a certeza de que por mais difícil que fosse, a partir da sua tomada de consciência, seria esse o único caminho para uma vida verdadeiramente nova e, certamente, mais feliz.

Não é fácil enxergar a realidade. Nem sempre a pessoa quer ver que aquele alguém que ela ainda ama tanto não a quer mais. Ninguém merece viver das migalhas de um amor que já não é correspondido.

Nesse sentido, o livro *Ele simplesmente não está a fim de você*, de Greg Behrendt e Liz Tuccillo, tem me ajudado a compreender essa realidade. Portanto, encare os fatos. Vocês se conheceram. Ele disse que ia ligar. Nunca telefonou. Pare de se iludir. Vocês só saem juntos quando você liga e insiste. Ele nunca a convida para nada. Você não conhece a família dele. E você insiste em ter intimidade. Não faça mais isso com você. Encare os fatos.

Ele diz que não tem ligado porque está muito ocupado, está saindo de um relacionamento difícil, está com algumas dificuldades pessoais. Ele está lhe dizendo que não quer você. Sei que essas minhas palavras parecem agressivas, mas alguém precisa ajudá-la a ver a realidade.

Você leva o namoro, entre tantos desencontros, há tantos anos. Ele continua a dizer que não é hora de noivado, casamento, intimidade, vida a dois, projetos comuns. E uma voz interior parece lhe dizer que há alguma coisa estranha nesse relacionamento. Ouça a sua voz interior.

Ele não quer se aproximar, evita estar ao seu lado, arruma todas as desculpas para se distanciar, sempre justificando que tem medo de se ferir novamente, sempre evocando as experiências negativas do passado. Não desperdice mais o seu tempo ao lado de alguém que não a quer. Ele não ama você.

Seja num relacionamento que nem mesmo começou, num relacionamento que já vem há muitos anos sem sair do lugar, num relacionamento que se mostra falido, não continue a viver de ilusões. Tome alguma decisão. Busque o diálogo. Converse sobre as coisas que a incomodam. Encare a realidade.

Veja se o seu relacionamento está a ajudando a se sentir verdadeiramente viva. Estar ao lado de alguém e manter esse relacionamento não isenta você e o seu parceiro de se questionarem: o que esse relacionamento tem trazido para a nossa vida?

É um grande engano não querer dizer aquilo que se sente para tentar manter um relacionamento tranquilo. Alguns chegam a optar pelo silêncio mórbido: *"É melhor eu não dizer nada"*. Que grande engano! No desejo de manter a paz sonhada ou pelo medo da verdade que só o diálogo pode revelar, deixaram-se conduzir para um divórcio emocional. E as pessoas que se sentem presas em casamentos infelizes costumam se sentir miseráveis.

Os casamentos que duram nem sempre são desprovidos de conflitos. Alguns casais brigam, mas também cobrem um ao outro de afeto. Outros casais nunca levantam a voz, mas também raramente elogiam ou acariciam um ao outro.

Conheci casais que mantinham uma relação saudável e duradoura e perguntei: "*Qual o segredo?*". E descobri que eles não ficavam provocando ou criticando seus parceiros e conversavam sobre tudo.

Questione o seu relacionamento. Os tombos mais altos são daqueles que nunca ventilaram a hipótese de uma decepção ou ruptura. Parta da realidade, pois ninguém neste mundo está imune a quedas. Para que um dia você não repita aquela costumeira frase: "*Achei que comigo nunca fosse acontecer isso*"...

Dialogue, questione o seu relacionamento. Uma briga, uma discussão não precisam necessariamente ser o fim de uma relação. A dúvida conversada é muito mais saudável do que a certeza cega e ilusória.

SOBRE PERDAS E GANHOS

Perseverança não é a única forma de vencer um desafio. Nem sempre ser forte significa lutar bravamente até a vitória final. É preciso saber escolher quais obstáculos realmente merecem ser enfrentados. E às vezes desistir é uma saída sábia ou, pelo menos, sensata.

Quando digo isso, lembro-me da imagem de Dom Quixote de La Mancha, personagem de Miguel de Cervantes, investindo com a sua lança contra moinhos de vento.

Nem sempre teremos resposta de pronto. Porém, quando tivermos dúvida, bastará nos basear na certeza de que devemos ir até onde o resultado só dependa de nós. Quando chegarmos a um ponto em que outras pessoas estejam envolvidas e a resposta dependa mais delas que de nós, significa que a partir dali não poderemos fazer mais nada.

No filme *Amor além da vida*, um dos personagens diz que, "*às vezes, quando a gente perde, a gente ganha*". Mesmo que pareça termos perdido em determinadas situações, a vida, a seu tempo, nos mostrará o que ganhamos com aquela experiência. Nenhuma moeda tem só um lado, o que significa que nenhuma circunstância nos possibilita somente a perda.

Perder sempre representa, no mínimo, um aprendizado, para quem quiser aprender com a correção do erro. E muitas vezes é uma chance de darmos um passo atrás para tomar impulso e saltar adiante.

A vida nos proporciona muitos aprendizados. No entanto, algumas pessoas parecem nunca estar dispostas a aprender coisa alguma. Pode parecer estranho o que vou dizer, mas não invista tempo e energia em quem não quer aprender e só se limita a reclamar. Invista seus esforços naqueles que estão receptivos ao aprendizado.

Não queira convencer as pessoas a pensar do seu jeito. Aprenda a amar a diferença que existe entre você e o outro. Se você só ama o que o outro tem de igual a você, é porque está amando a si mesmo refletido nele. Amar o outro significa aceitar aquilo que ele tem de diferente de nós.

Há quem passe a vida tentando mudar aqueles com quem convive. Escolha entre ficar com eles ou não. Mas querer que eles mudem e exigir isso o tempo todo é uma batalha com poucas perspectivas de vitória, uma luta desgastante que nem sempre mostra bons resultados.

Comece a ouvir as opiniões das pessoas sem ter reações imediatas. Ouça, primeiro, tentando extrair o que existe de bom nelas, percebendo a boa intenção por trás das suas ideias, dos seus conceitos, da sua maneira de ver a vida.

Talvez você nunca tenha a oportunidade de encontrar o parceiro perfeito. Isso só seria possível em um conto de fadas — uma história infantil que termina antes que os conflitos comecem. A magia do "e viveram felizes para sempre" só existe na literatura. Diferentemente disso, a condição humana prima pela imperfeição. Seu parceiro é imperfeito porque é de verdade.

Desista das coisas que não são importantes. Você já parou para pensar nos motivos que roubavam o seu sono cinco anos atrás? Perceba que alguns desses problemas acabaram por se resolver sozinhos. Outros nem tiveram solução, mas você tem dificuldade até de se lembrar deles.

Tente se imaginar daqui a cinco anos, pense no que será importante nesse futuro e se concentre nas coisas que realmente valem a pena.

SOBRE A ARTE DE VIVER E SE RELACIONAR

É impressionante como os relacionamentos dão trabalho. Não é fácil se relacionar com o vizinho: basta ver os constantes conflitos nas reuniões de condomínio. Não é fácil se relacionar com o namorado. Relacionar-se, conhecer o outro, tudo isso exige uma grande dose de disposição.

Não é fácil se relacionar com a esposa ou com o marido, porque se faz necessário conhecer um pouco do universo masculino e do universo feminino para compreender determinadas reações. Não é fácil se relacionar com o chefe. Muitas vezes ele também tem as suas questões mal resolvidas: as suas inseguranças, o seu orgulho, as suas cobranças. Enfim, não é fácil se relacionar com os outros. Mas uma boa maneira de começar é tentando se colocar no lugar do outro, enxergando as coisas pela óptica do outro, a partir do modo como ele as percebe, com os valores morais e até mesmo com a herança cultural dele.

Tentar penetrar no sentimento do outro é o primeiro passo para se atingir a compreensão. E a partir daí, quem sabe, até ajudar. Mas para que isso aconteça a iniciativa tem de ser tomada por você. Há tantos sentimentos desconhecidos em nós, tantos medos escondidos, tantos traumas não revelados, tantos mistérios não desvendados.

Alguns parecem ser mestres em tornar a vida ainda mais complicada do que naturalmente ela já é. Embora alguns digam que a vida é fácil, parafraseando Guimarães Rosa, no seu romance *Grande sertão: veredas,* eu digo: "*Viver é perigoso, é complicado, viver não é pra amadores*".

Viver exige sabedoria. Viver exige discernimento, requer a prática da capacidade de ver as coisas com clareza para tomar decisões acertadas. Viver exige coragem para encarar o sofrimento com esperança. E para tanto é preciso ter vontade de recomeçar quando tudo parece desalentador e sem vida.

Eu tenho visto tanta gente se perdendo na arte de viver e de se relacionar, que me sinto na missão de dizer a você que está sofrendo a angústia do fim de um relacionamento: não tenha medo de curtir a solidão. Não tenha medo de ficar sozinho, de se reconhecer carente. E mais: não busque alguém desesperadamente apenas motivado pela dor de um abandono. O verdadeiro amor somente acontece quando cessamos a busca. O intervalo entre um relacionamento e outro é fundamental para que aconteça o novo sol da sua vida. Quando você se sentir saudável novamente, esse será o momento tentar outra vez, sempre.

Não pule etapas, pois a vida cobra as nossas pressas. Curta a sua dor. Viva a sua solidão. Há um tempo para cada coisa — nos ensina a sabedoria —, tempo de chorar e tempo de sorrir, tempo de andar e tempo de parar, tempo de plantar e tempo de colher. Tempo de silenciar e tempo de falar. Viva cada etapa da sua vida a seu tempo.

SOBRE A DOR

Talvez você já tenha ido visitar alguém num leito de hospital esperando levar palavras de conforto e, ao chegar, tenha tido a surpresa de ser acolhido com um sorriso encantador da parte daquele doente.

Assim ocorreu com o meu pai, que certa vez lutava ferrenhamente para sobreviver a duas cirurgias seguidas. Num dos momentos críticos, de muita dor, entrou uma enfermeira no seu quarto e, olhando-o ternamente, observou: *"Mesmo sentindo dor, seu pai ainda continua a sorrir"*.

Aquela frase me chamou a atenção porque resume em poucas palavras toda a trajetória de vida daquele homem: perdeu a mãe aos 9 anos, não teve grandes oportunidades de estudo, mas ainda assim trabalhou com afinco para oferecer formação universitária aos seus três filhos. Alguém que passou a vida cuidando dos outros com amor.

Meu pai é uma prova de que mesmo que a vida diga "não", mesmo que a vida "feche" as portas, a melhor resposta é continuar a amar, a fazer o bem e a lutar.

Ele é um daqueles heróis silenciosos, que no fim da vida não receberá medalhas, troféus, homenagens ou estátuas em praças públicas. Ainda assim, habitará para sempre os corações de tantos quantos o conheceram e será sempre lembrado com ternura e afeto.

De onde vem esse sorriso que nasce da dor? Certamente, de um coração mergulhado na paz que brota de um coração que ama, de um coração que perdoa e não guarda mágoas.

Chego à conclusão de que não são tão importantes as coisas que nos acontecem, mas o que fazemos a partir delas.

Alguém pode completar: *"Eu passei por uma doença muito grave e agora sou muito mais sensível às pessoas que sofrem"*. Essa é a dor que nos humaniza e nos sensibiliza, nos torna mais solidários, nos leva a amar mais.

Por outro lado, há os que passam por uma grande dor e se tornam pessoas amargas, que só reclamam da vida, dos outros, do mundo, de Deus; pessoas infelizes, descontentes, insatisfeitas.

Compreendo cada dia mais que a dor pode nos levar a dois caminhos: ou nos faz mais humanos, compreensivos, solidários, ou nos leva à amargura, ao rancor, transformando-nos em pessoas rudes e agressivas.

O mais interessante e desafiador é que, diante do sofrimento, de uma forma ou de outra, temos de tomar uma decisão, respondendo à pergunta: "*O que eu faço a partir dessa dor?*".

Eu não sei que tipo de drama você vive, mas sei que tem a possibilidade de transformar a sua dor, o seu sofrimento em lição de vida, em oportunidade de crescimento interior, em sensibilização para o desabrochar do amor universal no seu coração.

Talvez a sua dor não seja diferente da dor de milhões de outras pessoas. A diferença poderá estar na maneira como você irá responder a ela, bem como ao sofrimento na sua vida. A decisão está nas suas mãos.

A dor pode unir as pessoas. Basta ver quanto nos tornamos solidários diante de grandes catástrofes. Deixamos de lado os preconceitos, as diferenças sociais e, em geral, nos solidarizamos. Ela pode ser o remédio para acordar a alma e nos fazer perceber realidades para as quais os nossos olhos se mantinham adormecidos até então.

Tudo o que eu lhe desejo é que você aprenda a sorrir na dor e que nunca a use como motivo de infelicidade. Ter problemas na vida não significa estar condenado a uma vida infeliz. Mas a dor e o sofrimento podem ser ocasiões de amadurecimento, humanização, solidariedade, cultivo da humildade e amor.

Recordo-me de Drummond: "A *dor é inevitável. O sofrimento é opcional*".

SOBRE A INVEJA

Será que existe uma única realidade? Ou a verdade é somente o que se apresenta para cada um de nós? Se é assim, tome cuidado com pessoas que possam alterar a sua visão das coisas para pior. Vou contar uma história que aconteceu com uma amiga minha.

Quando ela fez 17 anos, arranjou um trabalho em feiras e eventos como recepcionista *free-lancer*, para receber 100 reais diários. Ela ficou muito feliz. Mas durante o evento ela soube que outras recepcionistas recebiam 150 reais. Ela sentiu um misto de raiva e tristeza, não conseguindo esconder isso da pessoa que a convidara para o trabalho. A situação se tornou desconfortável para ambos, e aquela empresa talvez nem a convidasse mais para os próximos eventos.

Mas o que mudou desde aquele momento em que ela se sentia feliz por trabalhar com uma diária de 100 reais? Não mudou o trabalho, não mudou o valor, só mudou a percepção dela, depois do comentário de outra pessoa. Para ela o mais justo seria todo mundo receber o mesmo pagamento.

Ao chegar à sua casa ela reclamou com a mãe, uma mulher muito sábia, que disse: *"Querer o que o outro tem é inveja. E inveja é veneno. Estava bom pra você esse valor quando fechou o contrato? Então por que não estaria bom agora, menos de um dia depois? Não olhe o que os outros recebem, não se preocupe com o que dizem (até porque pode nem ser verdade) e não se deixe envenenar"*.

A partir desse dia ela aprendeu a identificar quanto a inveja pode ser estimulada pelos outros e quanto isso pode ser prejudicial.

Veja: se você tem na sua vida alguém que fica lhe apontando as coisas dos outros, estimulando você a sentir inveja, saia de perto dessa pessoa!

Por outro lado, busque amizades que construam, busque a companhia daqueles que o ajudem a ser melhor. Aprenda a identificar os que não merecem a sua amizade.

Um bom indicador para o adequado discernimento no que se refere à amizade é a capacidade que essa pessoa demonstra de se alegrar com as suas conquistas. O dramaturgo e poeta irlandês Oscar Wilde certa vez escreveu: *"Toda a gente é capaz de sentir os sofrimentos de um amigo. Ver com agrado os seus êxitos exige uma natureza muito delicada"*.

Algumas amizades parecem marcadas pelo encontro de almas, na profundeza de corações que se amam. Amizades que conduzem à superação de obstáculos. Amizades que demonstram que o tempo e a distância não conseguem destruir a intimidade viva e persistente que nela existe.

No entanto, não é verdade que conhecemos os verdadeiros amigos apenas no sofrimento e nos momentos difíceis. Amigos verdadeiros descobrimos também quando se mostram capazes de se alegrar verdadeiramente com as nossas conquistas e vitórias, sem invejas tolas.

Construa amizades generosas. Não se deixe contagiar pela inveja. E cultive o altruísmo e a solidariedade. Cultive apenas os bons relacionamentos.

SOBRE ENVELHECER

Com o passar do tempo, tenho compreendido que a velhice não é uma doença. É uma etapa da vida tão desafiadora quanto qualquer outra. Se a crise da adolescência e a da meia-idade são tão intensas, por que a da maturidade deveria ser diferente?

As crises estão associadas a riscos e oportunidades. É nas crises que crescemos, amadurecemos.

Quando me encontro com uma pessoa idosa que me diz que está menos sensível aos ruídos, penso que isso não seja um castigo, mas uma bênção.

Em um mundo tão barulhento, não estaria a natureza poupando você dos inúmeros ruídos? Basta um pouco de otimismo e bom humor para encarar esses desafios de maneira mais leve.

Os seus movimentos mais lentos, num mundo desesperadamente agitado, podem ser uma ajuda da natureza tentando mostrar que você é merecedor da calma e da serenidade que até então não era possível obter. Antes de se impacientar com os movimentos lentos, aprenda a agir nesse ritmo diferente de ser e de estar no mundo.

Ouço com frequência que os velhos se tornam rabugentos. Daqueles que conheço, posso afirmar: alguns continuam rabugentos como sempre foram. Apenas há a intensificação de algumas características pessoais que já existiam. Outros continuam de bem com a vida, também como sempre foram.

É verdade que, com a idade, nos sentimos menos eufóricos. Os elogios provocam menos exaltação e as críticas menos desespero. Para a maioria das pessoas, a velhice oferece uma alegria menos intensa. Certa vez li que "*à medida que envelhecemos, a vida se torna cada vez menos parecida com uma montanha-russa emocionante e cada vez mais semelhante com o remar de uma canoa num lago tranquilo*". A velhice é realmente sábia.

O grande segredo para uma maturidade feliz e saudável está na nossa capacidade de buscar sentido, razões, motivos para viver. Cultivar o otimismo, a esperança e o interesse pelo futuro. Alguns fatores podem ajudar muito nesse processo. Que tal dedicar algumas horas da semana para praticar atividades físicas, manter o convívio com os amigos, criar uma agenda cultural, realizar cursos de computação, de dança, participar ativamente em universidades abertas à maturidade? Tenho visto os frutos dessa forma dinâmica de encarar a vida em pessoas que pensavam ter completado seu ciclo de vida.

É importante observar que, quando se pergunta às pessoas o que elas fariam de diferente se pudessem reviver a sua vida, a resposta mais comum é: "*Eu deveria ter dito ao meu pai que eu o amava; eu me arrependo de não ter viajado mais; deveria ter dedicado mais tempo para mim*".

Essas pessoas são mais centradas nas coisas que deixaram de fazer do que nos erros cometidos. Portanto, faça o que você deseja, aquilo que realmente lhe dá prazer. A velhice traz sabedoria. Usufrua isso com plenitude.

SOBRE CONSELHOS E DECISÕES

Nem sempre as pessoas que nos amam são as nossas melhores conselheiras. Por mais amor que uma mãe possa ter por um filho, nem sempre ela é a pessoa mais adequada para oferecer o conselho acertado a esse filho. Na verdade, ela poderá estar lutando contra suas inseguranças e medos em relação à decisão do filho. Assim, ela se encontra sem as condições necessárias para um bom discernimento.

Certa vez uma mãe fez tudo o que podia para evitar que o seu filho saísse do país para buscar uma oportunidade de trabalho e estudo. Mostrou-se irredutível. Apresentou todas as motivações contrárias ao desejo do filho. Após longas conversas, conseguiu o seu intento. O filho, atendendo à solicitação da mãe, nunca saiu de casa.

No entanto, passados alguns anos, eu tive a oportunidade de ver novamente mãe e filho juntos, morando na mesma cidade, compartilhando o mesmo teto.

Naquela tarde, o meu coração foi tomado pela compaixão. Essa mãe havia conservado o seu filho bem perto, mas tão longe ao mesmo tempo. Algo importante não havia sido resolvido, mesmo com o passar do tempo: a submissão constante daquele filho aos desejos e sonhos da mãe e o medo constante de não a decepcionar.

Aquela senhora, repleta de boas intenções, afeto e carinho, precisou de muitos anos e muitas outras situações de vida para perceber que nos momentos importantes do discernimento do seu filho e das decisões dele ela se deixara ser conduzida pelos seus medos interiores e inseguranças pessoais: medo da solidão, medo de perder o filho, medo de viver a vida sem ninguém por perto que a amasse de verdade, medo de enfrentar o fracasso da sua vida matrimonial sem graça e sem encanto. Apavorada pelos seus medos interiores e pela sensação de abandono, fez de tudo para que o seu filho jamais partisse.

Por esse e muitos outros exemplos que a vida me mostrou, eu hoje posso dizer com convicção: nem sempre aquela criatura que nos ama é a que mais pode nos ajudar num momento em que é preciso tomar uma decisão importante. E a vida cobra tanto as nossas decisões quanto as nossas omissões.

Portanto, a certeza de amar muito alguém não é garantia de ajudá-lo a tomar a decisão mais acertada numa determinada situação. O envolvimento emocional nem sempre é amigo da verdade. Quem diz que o ama não deve lhe dizer o que fazer, mas sim apoiá-lo naquilo que faz.

Amor é acima de tudo respeitar o outro nas suas decisões e escolhas.

SOBRE O AMOR

O educador do século XVI, Francisco de Sales, dizia: "*Não tente conseguir de outra maneira o que não conseguir por amor*".

Durante muito tempo relutei em aceitar essa verdade, considerando-a ineficaz diante da realidade dos fatos: consegue-se manter um relacionamento pelo medo, pela ameaça, pela comodidade; consegue-se a permanência de alguém ao lado por necessidade e intimidação. Consegue-se aumentar os ganhos mediante a exploração, o roubo, a extorsão.

Mas tudo pode não ser o bastante pela simples ausência de significado. Pela ausência do amor. Não basta conseguir muitas coisas ou conquistar muitas pessoas. As grandes questões são: O que as conquistas significam para a sua vida? Que tipo de realização proporcionam? Que satisfação verdadeiramente acrescentam aos seus dias?

Aos poucos, tenho entendido que são muito mais importantes as razões pelas quais se faz alguma coisa e o que ela simboliza na vida de alguém do que a realidade fria dos acontecimentos, dos fatos, das ações.

Revestir a vida com amor. Aquilo que é motivado pelo amor trará sempre maior realização pessoal e reconhecimento sincero por parte dos outros. O amor dá sentido à vida.

A mãe, por exemplo, briga com o filho por amor. O irmão briga por ciúme ou inveja. A mãe dorme com a consciência tranquila; o irmão, por sua vez, terá algo corroendo-o interiormente.

Não é determinante o fato acontecido, mas o significado que o reveste, as razões, os motivos que conduzem a agir dessa ou daquela forma.

O simples fato de dizer alguma coisa a alguém pode revelar isso. Se estiver com raiva, suas palavras possivelmente irão ferir. Se disser com amor, as mesmas palavras poderão ajudar. Afinal, pessoas que já disseram coisas duras, mas com amor, são respeitadas e lembradas com ternura. Aqueles que passaram pela nossa vida e só nos embotaram com elogios por medo de nos perder, por eles não temos a mesma admiração. Todo mundo ama a verdade.

Um casal pobre que se ama pode ser muito mais feliz que aquele que se casou por dinheiro. As pessoas bem-sucedidas são as que começaram a trabalhar por amor, e não por interesse em ficar ricas ou poderosas.

O sucesso não é uma meta, mas uma consequência. Felicidade, também. Você talvez acredite que será feliz quando ficar rico. No entanto, tudo o que conquistar, se não for obtido com base no amor, não lhe fará muito sentido.

Suas ações podem ser exatamente as mesmas que as dos outros, inclusive no que se refere aos erros. Mas aquele que tomou atitudes baseando-se nos preceitos do amor obterá respostas mais plenas, mais próximas da felicidade e da paz interior.

As pessoas que amam a vida, o mundo, os seres ao seu redor são as mais realizadas e, consequentemente, as mais livres interiormente. E, sobretudo, as pessoas que amam a si mesmas são mais felizes.

O segredo não está em ter, mas em ser. E para ser não há necessidade de grandes coisas: basta se imbuir da simplicidade do verbo amar. Quanto mais revestir as coisas ao seu redor com a pureza desse sentimento, mais perceberá que o que lhe vem de volta também retorna com o carimbo do amor.

SOBRE A EDUCAÇÃO DOS FILHOS

Há algum tempo, comprei um joguinho para o meu filho. E entre as muitas perguntas contidas na caixinha encontrei uma que me chamou a atenção: "*Por que as unhas das mãos crescem mais que as unhas dos pés?*". Nunca havia pensado nisso. A resposta: "*As unhas das mãos crescem mais do que as dos pés porque sofrem mais impactos, enquanto as unhas dos pés estão sempre protegidas*". Gostei tanto da resposta que não quis nem mesmo saber se ela possuía ou não alguma base científica.

Tudo o que me importava era que essa resposta me dava uma boa imagem para entender a educação dos filhos. Quantos pais passam a vida tentando proteger os filhos de todo e qualquer impacto. Um processo que alguns costumam chamar de superproteção. Esses filhos jamais crescerão como adultos responsáveis.

Alguns pais infantilizam os filhos. Querem sempre evitar que eles sofram. A vida não poupa ninguém.

Erram os pais que fazem de tudo para que os seus filhos não passem adversidades e contrariedades na vida.

Estamos vendo na nossa sociedade moderna um fenômeno preocupante: pequenos tiranos dominando os lares. Crianças de 5 ou 6 anos que exercem tal domínio sobre os pais que estes passam a ser executores das vontades daqueles que deveriam estar na condição de aprendizes.

E o processo de aprendizagem se dá, muitas vezes, de forma condicionada. Aprendemos fazendo associações. Quando uma criança dá os primeiros passos e os pais aplaudem, eles estão incentivando positivamente esse comportamento, que se repete quando recompensado.

Na educação dos filhos, incentivos podem ser palavras de admiração, passeios em família, mesada correspondente ao desempenho escolar.

Por outro lado, todo comportamento que precisa ser desestimulado deve ser seguido de uma repreensão. Quando diz um "não" categórico ao ver o seu filho se aproximando da tomada de eletricidade, você o está impedindo de tomar uma atitude que pode lhe trazer graves consequências. E mesmo que ele se desmanche em lágrimas é importante manter a firmeza da sua opinião.

Às vezes gratificamos comportamentos que achamos incômodos, dos quais queremos nos livrar. Você já viu uma criança no *shopping* ou no mercado esperneando no chão e gritando? A criança quer o que vê porque é mimada, e os pais, com vergonha daquele escândalo em público, acabam comprando. Assim, tal situação sempre se repetirá. Para a criança funcionou. Essa é a mensagem que os pais reforçaram.

É claro que na próxima vez o filho usará o método que já foi testado e aprovado: consegue-se o objetivo com gritos e choro. Ceder aos acessos de raiva dos filhos para então obter paz e sossego é agir de modo a reforçar esse comportamento.

Deixe as ameaças e parta para os reforços positivos. Quando os filhos percebem que as ameaças são vazias e que nada acontece, encontram a chave para enfraquecer os pais na sua autoridade.

Porém, nunca faça uma ameaça se você verdadeiramente não estiver disposto a aplicá-la.

Lembro o que hoje ensinam os pedagogos e que me parece que nossos avós já sabiam com certa naturalidade.

Pais que dizem "Prepare-se para dormir" e depois cedem aos protestos dos filhos acabam por transmitir a eles a ideia de que basta contestar para adquirir o que se deseja. Pelo bem do seu filho, ignore as lamentações quando você está certo de que o melhor para ele é se recolher naquele horário. Os pais precisam demonstrar segurança. Caso contrário, os filhos crescerão sem referências de limite do que é certo e do que é errado. A referência de autoridade é fundamental no processo educativo.

Até mesmo em programas televisivos, vemos estas orientações: quando a criança se comporta mal, simplesmente coloque-a num "cantinho para pensar" por um tempo específico, que não deve ser maior do que ela possa suportar, a fim de que não venha a se sentir injustiçada. Deixe-a ali para pensar no que fez e que não foi bom, explicando-lhe as razões.

É importante que sua orientação seja firme e coerente. Mas nunca deixe de demonstrar que as suas atitudes têm base no amor e não nas raivas momentâneas.

Outra forma de aprendizagem é pela observação. Observar e imitar os outros também é parte importante da nossa educação. As crianças imitam comportamentos. Não adianta recomendar a leitura para seus filhos se eles nunca viram você com um livro nas mãos. De nada vale dizer aos filhos que é necessário ter uma religião se você não frequenta as atividades religiosas do grupo a que diz pertencer.

A aprendizagem por observação deixa evidente que pais indulgentes, isto é, que tudo permitem, podem ter filhos desregrados, e pais violentos geram filhos agressivos.

Os pais são poderosos modelos comportamentais para os seus filhos. Assim, devemos sempre levar em conta: *"As palavras comovem, mas os exemplos arrastam"*.

SOBRE A MORTE E A ETERNIDADE

Alguns temas me parecem tão sublimes que merecem a delicadeza da arte na sua abordagem. Penso em poesia quando quero falar da morte e da eternidade. Não quero mais esgotar os meus argumentos racionais. Tanto que se alguém me perguntasse: "*Como é a vida depois da morte?*", confesso que não começaria a discorrer acerca de conceitos prontos. Hoje, faria silêncio, acreditando que no silêncio estaria a mais verdadeira resposta.

Isso não é falta de fé. Pelo contrário, o silêncio é a plenitude da fé. A ausência completa dos argumentos racionais. O mergulho no mistério. O sagrado habita o silêncio. A fé habita a alma silenciosa.

Por isso, o que mais eu admiro em velórios é a atitude daqueles que não dizem nada. Apenas estão ali. Abraçam os entes queridos, silenciosamente. E deixam a dor doer, como aquelas feridas que sabemos que só serão cicatrizadas com o tempo.

Gosto da saudade. Saudade é aquela lembrança de algo ou de alguém que nos faz bem. Saudade nutre a alma. A saudade é a maior prova de que o alguém querido ainda vive em nós.

Essa é a maneira como entendo a eternidade. A minha essência, aquilo que deixei de amor, de afeto, de carinho, de bondade, isso permanecerá, sempre. As marcas deixadas pelo amor serão os sinais da minha eternidade.

Então, se sei tão pouco sobre o depois, lanço-me na aventura de fazer da minha existência algo que valha a pena. Nesse ponto está o grande segredo: mais do que pensar sobre a morte, resta-me o fascínio de descobrir caminhos para viver a vida com sentido. Ter razões para viver o seu dia. Ter motivos para acordar todas as manhãs. Isso é estar vivo. Verdadeiramente vivo.

Lembro-me do dia em que fui sequestrado. Abordado por dois homens armados e colocado no banco de trás do carro. Vivi horas sentindo medo da morte. Quando disseram que íamos pegar a estrada, pensei que a minha vida teria um fim, num local mais distante. Em alguns segundos pensei na minha história, como um filme. E num viaduto que dava acesso à tal rodovia eu disse em voz baixa: "*Se eu tiver mais um dia. Ah! Se eu tiver mais um dia*". E comecei a imaginar as coisas boas e felizes que eu faria. Os telefonemas que eu retornaria. Os encontros que eu teria com as pessoas de coração lindo que a vida tinha me dado o privilégio de conhecer. Alguns quilômetros depois, já na estrada, eles pararam o carro e me disseram para ficar ali. Voltei a pé, caminhando por quilômetros na tentativa também solitária de voltar para casa.

Aquilo que poderia ter sido motivo para grandes traumas tornou-se para mim impulso para uma vida nova. A proximidade com a morte não me fez pensar na morte, mas na vida e nas razões de viver. Até hoje, quando me vejo um pouco chato, pessimista, reclamando das pequenas coisas, pego o meu carro e volto para o viaduto que dá acesso àquela estrada. E digo novamente: "*Se eu tiver mais um dia...*". Volto renovado.

Talvez seja essa a razão que levou São Bento a aconselhar os seus monges a manter a morte diariamente diante dos olhos. Pensar na morte pode ser ocasião de libertação de todo medo e oportunidade de mudança no modo de viver a vida.

E na descoberta da fragilidade humana, do mistério que nos envolve, da ausência de respostas prontas pode-se descobrir o fascínio da aventura de viver. Abandonar a noção do tempo. Deixar de lado a preocupação com quanto ainda vou durar. Saber que a vida não se mede em quantidade de anos vividos, mas na intensidade de sentir-se vivo. De nada vale durar no tempo se não se vive com amor cada momento. Como se fosse único. E na verdade o é. Não temos certezas absolutas. E nessa ausência de certezas está o encanto do desconhecido.

Meu melhor amigo morreu aos 92 anos de idade. Quando fui visitá-lo no leito do hospital, numa luta entre a vida e a morte, eu lhe perguntei o que ele gostaria de dizer. E com a voz fraca e trêmula, com um sorriso meigo, me falou: "*Eu queria viver mais*". Meus olhos se encheram de lágrimas e aproximei a minha face da sua testa, como se pedisse a sua bênção.

Lembrei-me do dia em que estávamos num retiro em Campos do Jordão e conversávamos sobre a vida, a morte e a eternidade. Sentado à minha frente num banco antigo de madeira ancorado no lago, ele, com a sua voz terna, contou-me uma história:

"*Uma vez meu pai olhou para um passarinho estirado de lado contra o meio-fio, perto da nossa casa.*

— Ele está morto, pai? — eu tinha 6 anos e nem conseguia olhar a cena.

— Sim — ouvi-o dizer, de maneira triste e distante.

— Por que ele morreu?

— *Porque tudo o que vive deve morrer.*
— *Tudo?*
— *Sim.*
— *Você também, pai? E a mamãe também?*
— *Sim.*
— *E eu?*
— *Sim. Mas pode ser que seja depois de você viver uma vida longa e bonita.*
Não pude entender. Fiz esforço para olhar para o pássaro.
— *Tudo o que vive ficará como este pássaro? Por quê?*
— *Foi assim que Deus fez o mundo.*
— *Por quê?*
— *Porque assim a vida será sempre preciosa. Alguma coisa que é para sempre nunca é preciosa".*

Saí daquele hospital como quem se despede para sempre. O mundo parecia ter parado. Tudo era silêncio. Foi ali que pela primeira vez na vida compreendi verdadeiramente o significado da frase que ele havia anotado à mão, alguns anos antes, e me dado como um presente: "*Não morremos nunca quando ficamos eternizados no coração daqueles que amamos*".

Fim

BIBLIOGRAFIA

BEHRENDT, Greg, TUCCILLO, Liz, SAUER, Alyda Christina. *Ele simplesmente não está a fim de você.* Entenda os homens sem desculpas. Rio de Janeiro, Rocco, 2005.

BUSCAGLIA, Leo. *Amando uns aos outros.* O desafio das relações humanas. Rio de Janeiro, Record, 1984.

CAROTENUTO, Aldo. *Eros e Pathos.* Amor e sofrimento. São Paulo, Paulus, 1994.

CORTELLA, Mario Sergio. *O que a vida me ensinou.* Viver em paz para morrer em paz (paixão, sentimento e felicidade). São Paulo, Saraiva/Versar, 2009.

GIANNETTI, Eduardo. *Felicidade.* São Paulo, Companhia das Letras, 2002.

GIKOVATE, Flávio. *Dá pra ser feliz... apesar do medo.* São Paulo, MG Editores, 2007.

PEARSALL, Paul. *O seu último livro de autoajuda.* São Paulo, Alegro, 2005.

POWELL, John. *Por que tenho medo de lhe dizer quem sou?* Belo Horizonte, Crescer, 2004.

SCHULTZ, Duane P., SCHULTZ, Sydney Ellen. *Teorias da personalidade.* São Paulo, Thomson, 2002.

VISCOTT, David. *A linguagem dos sentimentos.* São Paulo, Summus, 1982.

Contato com o autor:

SITE: www.dalcides.com.br
E-MAIL: dalcides@gmail.com
TEL.: (11) 2114 6310

Edições Loyola

editoração impressão acabamento
rua 1822 n° 341
04216-000 são paulo sp
T 55 11 3385 8500/8501 · 2063 4275
www.loyola.com.br